# CATHRYN

## 1. Avec un Y et pas de E

**Catalogage avant publication de Bibliothèque et Archives nationales du Québec et Bibliothèque et Archives Canada**

Girard, Edith, 1983-

Cathryn

L'ouvrage comprendra 3 volumes.

Sommaire : 1. Avec un Y et pas de E.

ISBN 978-2-89723-920-6

I. Girard, Edith, 1983- . Avec un Y et pas de E. II. Titre.

PS8613.I718C37 2017 C843'. 6 C2016-942561-4
PS9613.I718C37 2017

Les Éditions Hurtubise bénéficient du soutien financier du gouvernement du Québec par l'entremise du programme de crédit d'impôt pour l'édition de livres et de la Société de développement des entreprises culturelles du Québec (SODEC). L'éditeur remercie également le Conseil des arts du Canada de l'aide accordée à son programme de publication.

Financé par le gouvernement du Canada | Canada

Illustration de la couverture : Mathieu Benoit
Conception graphique de la couverture : René St-Amand
Mise en pages : Folio infographie



ISBN : 978-2-89723-920-6 (version imprimée)
ISBN : 978-2-89723-921-3 (version PDF)
ISBN : 978-2-89723-922-0 (version ePub)

Dépôt légal : 2e trimestre 2017

Bibliothèque et Archives nationales du Québec
Bibliothèque et Archives Canada

Diffusion-distribution au Canada :
Distribution HMH
1815, avenue De Lorimier
Montréal (Québec) H2K 3W6
www.distributionhmh.com

Diffusion-distribution en Europe :
Librairie du Québec/DNM
30, rue Gay-Lussac
75005 Paris FRANCE
www.librairieduquebec.fr

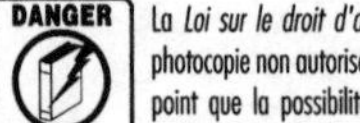




*Imprimé au Canada*

**www.editionshurtubise.com**

EDITH GIRARD

# CATHRYN

## 1. Avec un Y et pas de E

Hurtubise

À G. C.

# 1. LA GARDIENNE DE LA CAPITALE

# CHAPITRE 1

Les minutes s'écoulaient lentement. Une chaleur pesante mêlée d'odeurs de sueur alourdissait l'atmosphère. Cathryn, anxieuse, soupira en regardant l'heure sur son téléphone. Il y avait du retard dans l'horaire.

Chaque année, à la fin du mois de janvier, avaient lieu les auditions pour la pièce de théâtre annuelle, l'activité parascolaire la plus populaire du collège. Tout le monde devait passer en entrevue, les acteurs comme les techniciens. Et seuls les meilleurs étaient choisis.

Une cinquantaine de jeunes étaient massés dans l'étroit couloir qui menait aux coulisses de l'amphithéâtre. Certains étaient assis sur des chaises ou par terre, regroupés autour de leurs sacs à dos. Quelques-uns n'étaient là que pour encourager leurs amis.

Cathryn, elle, attendait son tour, même si elle se sentait impostrice parmi ce groupe d'élèves majoritairement en quatrième ou cinquième secondaire.

Le poste de scénographe qu'elle convoitait était habituellement réservé aux plus vieux. Malgré ses 14 ans, elle avait quand même décidé de poser sa candidature : elle était persuadée d'avoir les meilleures idées !

Le théâtre ne l'avait pourtant jamais intéressée avant. Elle préférait les arts plastiques. Elle s'était emballée quand on avait annoncé que la pièce du printemps serait une adaptation du film *La Reine des Neiges,* lui-même inspiré du conte de Hans Christian Andersen. Son cerveau s'était mis à fonctionner à cent milles à l'heure ! Cathryn avait réécouté le film au moins 30 fois et lu le conte d'Andersen en français et en anglais. Elle avait trouvé des moyens originaux pour réaliser des effets spéciaux et élaboré des plans éminemment détaillés. Tout ça en une nuit ! Les jours suivants avaient été consacrés à la construction d'une maquette. Toutes ses économies y étaient passées. Cathryn s'impliquait dans plusieurs activités parascolaires, mais elle n'avait jamais autant travaillé à un projet.

Alors que les auditions des acteurs se poursuivaient, elle songeait à ses chances de décrocher le poste. On se trompait si souvent sur son âge… Pourquoi pas encore aujourd'hui ?

Elle était la plus grande de son année. Dès l'âge de 12 ans, elle avait atteint 1 m 80 ! Elle ne ressemblait toutefois pas aux mannequins maigrichons des défilés de mode. Elle avait plutôt un corps athlétique, et ce, même si elle n'aimait pas le sport. Ses épaules très larges lui faisaient une silhouette en triangle inversé. Elle devait toujours se démener pour entrer dans les chemises ajustées, et trouver des souliers à sa taille était un défi. Oui, être grande venait avec son lot d'inconvénients vestimentaires.

Néanmoins, avec sa démarche assurée et son regard sage, on lui donnait souvent 16 ou 17 ans, même quand elle portait l'uniforme du collège ! Elle s'amusait parfois à tester à quel point les gens se fourvoyaient. Ses plus récents exploits : acheter des billets de loterie au dépanneur et jouer à la vendeuse dans un magasin. À l'école, le jour de l'Halloween, elle avait même enfilé un tailleur et s'était fait passer pour une suppléante. Cathryn comptait beaucoup sur son apparence mature pour obtenir le poste de scénographe.

Presque tous les aspirants comédiens avaient maintenant fait leur audition. Les allées et venues étaient ponctuées de pleurs ou de cris de victoire. Bastien Vadeboncœur, la vedette masculine de la troupe depuis trois ans, sortit soudain de l'amphithéâtre le menton levé. Il avait obtenu le poste qu'il voulait, sans aucun doute. Fier comme un coq, il se plaça au centre de ses admirateurs et passa une main dans sa sensationnelle chevelure dorée. Fils unique de parents acteurs, Bastien avait envoûté les spectateurs dès sa première année dans la troupe. Son charisme volait la vedette, même dans les troisièmes rôles ! Tout le monde voulait être son ami.

Selon la rumeur, cette fois-ci, Bastien visait la mise en scène. Cathryn aurait à travailler directement avec lui si elle était choisie comme scénographe. Pas de problème. Elle ne craignait ni les poseurs ni les petits rois.

La dernière actrice, Carolanne, revint de son audition avec un large sourire:

—Je l'ai eu!

Ses amies crièrent si fort et si aigu que Cathryn sentit un chatouillement dans ses tympans. Elles entourèrent la couronnée, lui tendant son sac à main, qu'elles avaient protégé comme un trésor. Évidemment, la jolie Carolanne avait obtenu le rôle d'Anna, l'un des deux personnages principaux de l'histoire. Elle sauta dans les bras de Léa, qui incarnerait Elsa, la grande sœur d'Anna. Les deux vedettes féminines et leurs groupies partirent en gloussant.

Leur départ plongea le couloir dans un profond silence. Seuls restaient les candidats aux postes de l'équipe technique: régie, costumes, maquillages, coiffures et scénographie. Il n'y avait pas de compétition pour ces postes, sauf pour celui de scénographe.

Deux élèves tentaient leur chance contre Cathryn : Magalie et Marek, tous deux en quatrième secondaire. Les aspirants scénographes devaient présenter une maquette du concept qu'ils proposaient. Tous avaient donc une miniscène de théâtre en carton sur les genoux. Les trois candidats se jetaient des regards pour analyser le travail de leurs compétiteurs. Magalie proposait des décors doubles : un château de pierres et un château de glace translucide. Sa reproduction de l'œuvre cinématographique était parfaite, mais irréalisable. La production n'aurait jamais le temps ni les moyens de concrétiser son plan. Cathryn était convaincue de la battre.

Par contre, Marek tenait un projet fort intéressant. Son modèle réduit présentait un espace ouvert et quasi désert. Il n'y avait que quelques chaises modifiables en fonction des différents tableaux de la pièce. Ce minimalisme pourrait l'avantager. Sur le mur du fond, il avait peint une grande fresque inspirée de *La Nuit étoilée*, de Van Gogh. La maquette restait simple, mais était porteuse d'une ambiance intrigante. Mélancolique.

Cathryn jalousait le talent de Marek. Son concept était si singulier! Comment avait-il réussi à cerner son sujet de cette façon? Elle se croyait incapable d'un tel exploit. Elle était plutôt du genre cervelle bouillonnante. Les pensées se bousculaient dans sa tête, et elle devait mettre de l'ordre dans ses idées pour arriver à créer quelque chose. Le plus dur: décider quoi garder et quoi jeter.

Cathryn angoissa soudain à l'idée d'avoir conservé trop d'éléments dans sa présentation. Ses mains devinrent de plus en plus moites. Craignant de noyer son décor, elle se leva, posa sa maquette sur sa chaise et fit les cent pas pour s'aérer l'esprit.

Kelly, la technicienne en chef, annonça le début des auditions pour sélectionner les membres de son équipe. Cette fille de cinquième secondaire ronde et élégante était aimée de tout le monde. Elle connaissait les meilleures blagues salaces et avait un rire explosif et contagieux. Cathryn serait bien heureuse de collaborer avec elle.

Gustave, spécialiste de la régie, fut le premier appelé. Il échangea un clin d'œil avec Kelly avant de disparaître dans les coulisses. Gustave était le seul autre élève de troisième secondaire en audition, le seul qui pourrait révéler l'âge de Cathryn. Mais il ne dit rien.

Ce fut ensuite le tour de Théo et Natalia, un duo de meilleurs amis. Ils partirent en tremblant comme des feuilles au vent, se tenant par la main et respirant difficilement, comme agonisants. À leur retour, c'était tout le contraire : ils souriaient à s'en fendre les joues et parlaient avec enthousiasme. Ils s'occuperaient des costumes, des maquillages et des coiffures.

Enfin, les auditions pour le poste de scénographe commencèrent. Magalie passa la première. Cathryn n'eut le temps de se ronger qu'un seul ongle avant son retour. La déception se lisait sur son visage.

Marek partit à son tour présenter son projet. Cathryn sentit son taux d'adrénaline exploser. Seule dans le couloir, elle en profita pour faire quelques sauts sur place. Puis, elle fit une salutation au soleil avant de boxer dans le vide. Les mouvements réveillèrent son cerveau, et elle se sentit reprendre le contrôle de son corps. Elle respira profondément, plusieurs fois, et rallongea son souffle.

Ayant pris le dessus sur son stress, elle décida de se rasseoir...

CRAC !

Cathryn se releva d'un bond. Sa maquette ! Elle l'avait à peine touchée, mais les dégâts étaient bien visibles. La partie du haut s'était effondrée : les tiges qui retenaient les rideaux s'étaient cassées. Les bandes de tissu gisaient, écroulées, sur la miniscène. Cathryn avait envie de crier, mais une sorte d'étonnement la paralysait :

« Je suis ben conne ! », pensa-t-elle en se détestant.

Des pas qui approchaient la tirèrent de sa torpeur. C'était sans doute Marek qui avait terminé. Cathryn attrapa son sac et en vida le contenu sur le sol. À travers le désordre, elle trouva un vieux bâton de colle. Elle tenta de fixer les bouts des tiges ensemble. Ils refusaient de tenir. Il aurait fallu les changer, mais elle n'en avait pas d'autres. Cathryn évita de paniquer et se rabattit sur du ruban électrique gris métallique. Frustrée contre sa maladresse, elle en déchira des morceaux avec ses dents. Elle n'avait jamais autant rêvé d'avoir du papier collant transparent sur elle. C'était horrible ! La réparation n'avait rien de discret…

La porte des coulisses s'ouvrit. Marek en sortit. Il toisa Cathryn, à genoux dans le fatras de son bricolage d'urgence. Elle ne put rien déceler dans le regard de son rival. Était-il déçu ou heureux ? Avait-il réussi à impressionner les juges ?

Kelly vint chercher Cathryn, qui se leva avec sa maquette rafistolée. Elle la suivit sans réfléchir, les cheveux remplis de colle et de ruban électrique.

Elle entra dans l'amphithéâtre vide. Ses pas résonnèrent sur le plancher de bois. Elle frissonna en frôlant le rideau de velours noir, contourna les valises d'accessoires d'éclairage et marcha jusqu'au X collé à l'avant de la scène. Elle s'y arrêta et s'y tint, droite comme une soldate.

Kelly alla rejoindre deux femmes assises au centre de la salle : Jacqueline Moisan, professeure de français qui animait le théâtre avec passion, et Susan LeBlanc, coordonnatrice des activités socioculturelles du collège, réputée pour sa rigidité.

—Ton nom? demanda sèchement cette dernière.

—Cathryn, avec un Y et pas de E.

Madame LeBlanc soupira en signe de désapprobation. Cathryn ne se laissa pas atteindre par ce jugement. Elle était habituée à ce genre de réaction. Sa mère avait insisté pour cette orthographe inusitée. Même si ça lui causait parfois des problèmes, Cathryn appréciait cette différence.

Madame Moisan fit un large sourire à Cathryn et commença gentiment l'entrevue:

—Pourquoi veux-tu être scénographe?

—Je suis super bonne en arts plastiques. Je suis des cours privés depuis longtemps...

—Le poste de scénographe ne se résume pas aux arts plastiques, la coupa madame LeBlanc.

—Je le sais. Il faut créer l'univers de la pièce, construire les décors, choisir les meubles. Les objets. Pis collaborer avec le metteur en scène.

—Veux-tu nous montrer tes idées? demanda joyeusement madame Moisan.

Cathryn se lança:

—OK! Si on pense au film *La Reine des Neiges*, on voit tout de suite des couleurs super *flash* à la Disney. Bleu, turquoise, blanc, etc. Moi, j'ai un concept qui s'inspire plus du climat de la Norvège. Dans le conte de Hans Christian Andersen, le monde de glace, c'est sur une île qui ressemble à ça…

Elle sortit une photo de son sac. Il s'agissait d'un agrandissement d'un paysage montagneux et glacé. Le contraste entre le bleu clair du ciel et le noir des rochers et de la terre était fascinant. Cathryn apporta l'image aux juges, puis revint vite sur scène pour présenter sa maquette:

—Mon concept se base sur cette photo-là. Ça serait un décor monochrome, foncé, plutôt bleu-noir. Il y aurait des textures brillantes et métalliques pour le monde de glace d'Elsa, pis du bois, des fourrures et du satin pour le château. Les murs du palais seraient des miroirs noirs. Ça donnerait une grande profondeur, pis plus de possibilités pour les déplacements. Pas juste entre les coulisses de côté... Ça serait différent du film, mais moi, je trouve ça plus intéressant de faire une interprétation moins pour les enfants.

Cathryn sentit un mouvement chez les juges. Ses auditrices semblaient surprises. Elle continua avec plus d'enthousiasme:

—Pour créer les pouvoirs d'Elsa, j'ai pensé intégrer un écran dans le décor. On peut projeter des trucs faits à l'ordinateur. J'ai quelques exemples. C'est une animation simple en 2D, mais ça marche.

Madame LeBlanc lui fit signe d'approcher. Cathryn descendit l'escalier et leur remit sa maquette et sa clé USB, qui contenait sa démo animée. Les deux femmes analysèrent son travail à voix haute:

—L'écran s'intégrerait bien aux décors, apprécia madame Moisan.

—C'est bien plus réaliste du point de vue des coûts, confirma madame LeBlanc.

—Et réalisable pour le mois de juin.

Cathryn sentit son cœur battre. Allait-elle être choisie?

Madame LeBlanc la regarda en fronçant ses gros sourcils. Elle lui tendit une feuille:

—Remplis ce formulaire. Nous allons donner nos réponses la semaine prochaine.

Cathryn inscrivit son nom, son numéro de téléphone... et hésita. La dernière case demandait son année scolaire. En l'écrivant, elle révélerait son âge! Sentant le regard pressant de madame LeBlanc, Cathryn se hâta de tout remplir et remit la feuille en souriant bêtement. Aussitôt, madame LeBlanc toussota:

—On a un problème!

Madame Moisan prit le formulaire, lut rapidement à son tour et s'exclama avec surprise:

—Tu n'es qu'en troisième secondaire?

—J'ai 14 ans, avoua Cathryn.

—Tu as tellement l'air plus vieille! Surtout avec un projet aussi bien réalisé.

Madame LeBlanc hocha négativement la tête:

—Le poste de scénographe est réservé aux élèves de quatrième ou de cinquième secondaire.

—C'est pas juste, se plaignit Cathryn. Mon projet est le meilleur!

—C'est une question de maturité, expliqua madame Moisan. C'est une grosse responsabilité. Penses-tu pouvoir respecter les délais ?

—Jacqueline ! s'offusqua madame LeBlanc.

Cathryn l'ignora :

—C'est certain que je peux faire tout ça ! J'ai vraiment envie de m'impliquer dans la troupe, cette année. J'ai plein d'idées !

Les deux femmes se regardèrent un instant sans rien dire. Madame Moisan brisa le silence :

—Tu peux partir. On va terminer nos analyses et t'informer quand on aura pris une décision.

Kelly lui fit signe de la suivre. Elles remontèrent sur la scène.

Cathryn se sentait vidée et lasse.

Et elle désespérait de savoir qui obtiendrait le poste de scénographe.

# CHAPITRE 2

Dans la marge d'un cahier, la super-héroïne C.A.T.Y. volait au-dessus de la ville de Québec. Elle protégeait la Capitale! Sa cape et ses cheveux flottaient au vent. Elle était vêtue d'un uniforme de collège privé et portait un masque avec des trous pour les yeux qui cachait le haut de son visage.

Cathryn avait la manie de dessiner pendant ses cours. Toutes ses pages de notes contenaient des gribouillages de personnages ou de créatures monstrueuses. Pour créer des univers fantastiques et explosifs, son imagination était fertile!

Ce jour-là, Cathryn traçait le château Frontenac dans son cahier de français. Son dessin s'étirait jusqu'aux règles d'accord du conditionnel passé. Elle tentait de recréer le monument avec exactitude, mais sa concentration était défaillante. Une question persistante la préoccupait: pourquoi n'avait-elle pas encore reçu de nouvelles pour le poste de scénographe? Ça faisait déjà une semaine qu'elle attendait! Elle calculait ses chances, analysait sa performance, s'en voulait pour tout et pour rien. Et si elle avait révélé son âge dès le début, aurait-elle été sélectionnée? Sûrement pas! Elle conclut que c'est Marek qui avait été choisi.

La cloche du dîner sonna. Cathryn sortit de sa classe et avança avec peine. Son gros sac de toile beige entrait en collision avec tout ce qu'elle croisait. Pour ajouter à la cohue de l'heure du dîner, des nounounes de quatrième secondaire bloquaient la moitié du chemin. Tous les midis, elles s'installaient au milieu du couloir avec lunchs, livres, sacs et cosmétiques. Elles grognaient ensuite contre les élèves qui osaient les déranger pendant leur manucure.

Cathryn se faufila à travers le groupe. Elle reçut son lot quotidien de regards de pimbêches. Elle n'avait rien à faire de leurs opinions superficielles. Avec sa grande taille, Cathryn ne correspondait pas à leurs codes normaux, alors elles la traitaient de girafe. L'année précédente, ces vipères l'avaient surnommée « tour Eiffel ». Elle ignora leurs remarques cinglantes et resta calme et zen. SUPER zen !

La majorité des élèves de l'école tentaient de ressembler à des vedettes. Les filles avaient presque toutes des sacs roses mignons et gentils, des ongles arc-en-ciel et des cheveux blond miel. Les gars n'étaient pas mieux. Ils portaient tous les mêmes espadrilles blanches et des chaînes dorées. Ils avaient les mêmes cheveux ébouriffés et se promenaient en groupes serrés, telle une bande de clones idiots incapables d'avoir leur propre identité. Cathryn, elle, préférait le noir, le violet et le vert forêt. Elle portait des bas rayés comme ceux d'une sorcière et de hautes bottes à semelles épaisses. Les autres la trouvaient marginale ou excentrique. Pour elle, c'était juste normal !

Max l'interpella comme elle entrait dans la zone des élèves de troisième secondaire.

Il était en compagnie de Laura, la présidente de leur année. Ils sortaient ensemble depuis la maternelle. C'était le couple chéri des élèves populaires de troisième secondaire. Max avait encore manqué un cours à cause d'un rendez-vous chez l'orthodontiste :

— Cat ! Je peux t'emprunter tes notes de français ?

Cathryn lui tendit son cahier.

— Tu me le remets vite ?

— Comme d'habitude !

— Fais pas attention aux dessins, là !

Max s'éloigna avec Laura. Cathryn ne faisait pas partie de leur gang, mais comme elle participait à une foule de comités, elle devenait amie avec tout le monde. Elle adorait organiser des événements, trouver des idées originales pour des activités sociales et s'engager dans des projets artistiques. En plus de son intérêt nouveau pour la troupe de théâtre, elle faisait partie du comité d'animation de troisième secondaire et s'était impliquée dans le journal étudiant pendant quelques mois. Elle ne pouvait pas s'empêcher de s'impliquer. C'était une passion, presque une manie !

En début d'année, Max et Cathryn s'étaient alliés contre Judith, la rédactrice en chef mégavache et antisociale du journal étudiant. Celle-ci avait insulté un de leurs camarades en disant publiquement que son texte était de la « bouse de mauvais journaux à potins ». Cathryn détestait les péteux-prétentieux qui se pensaient meilleurs que tout le monde. Après une virulente joute verbale, Max et Cathryn avaient porté plainte à la direction, mais la légendaire et antipathique Judith avait conservé son poste. Comme c'était sa dernière année au collège, le directeur s'était montré tolérant. Il ne lui avait donné qu'un avertissement. Max et Cathryn avaient refusé de cautionner cette décision et avaient quitté le journal. Depuis, ils étaient restés en contact, échangeant salutations et notes de cours.

Cathryn recevait toujours le Méritas de l'élève la plus impliquée de son année, mais jamais de prix pour les meilleurs résultats scolaires. La compétition était forte au collège… Elle n'avait pas de matière favorite. Tout dépendait du professeur. Cette année, elle préférait les sciences. L'année dernière, elle avait développé un amour pour les mathématiques grâce à madame Da Silva, la meilleure enseignante de la terre.

Cathryn reprit sa route. À cette heure de la journée, plusieurs élèves sortaient manger au McDonald's ou au Ashton au coin de la rue Saint-Jean et de la côte du Palais. Cathryn restait plutôt à la cafétéria avec ses amies Lucie et Lan. Dès leur première année au secondaire, les trois filles y avaient adopté un coin tranquille, loin des poubelles puantes. Lucie, éclatante et énergique, avait beaucoup d'humour et de répartie. Par exemple, afin de fermer le clapet des épais, elle n'hésitait pas à utiliser elle-même le surnom de « Luzerne », qu'on lui infligeait depuis toujours. Elle avait un visage parfait aux traits lisses et de longs cheveux blonds légèrement bouclés. C'était une fanatique de fleurs et d'arbres, d'alimentation végétarienne et d'écologie. Elle montait souvent des kiosques et invitait des conférenciers à débattre de questions environnementales. Autant dans les cours de français que d'anglais, le thème de ses exposés oraux ne surprenait jamais personne. Certains pariaient même sur ses choix de sujets : parlerait-elle des forêts, des rivières ou des bélugas ? Malgré les blagues sur son compte, Lucie ne perdait jamais son enthousiasme contagieux.

Lan, elle, était plutôt introvertie. Elle préférait se taire si on lui marchait sur les pieds. Elle était menue et avait des cheveux noirs raides comme de la paille. Son prénom signifiait « orchidée », ce qui enchantait le quotidien de Lucie. Les parents de Lan, d'origine vietnamienne, possédaient un restaurant dans le quartier Saint-Sauveur. Lan espérait ne jamais en hériter. Elle détestait cette cuisine dans laquelle elle avait grandi. Pendant des années, elle avait dû laver la vaisselle, couper les légumes et apprendre les recettes familiales, alors qu'elle aurait préféré jouer avec sa console ou lire des mangas. Elle trouvait que tout sentait ou goûtait le nuoc-mâm, la sauce de poisson qui entre dans la composition de presque tous les mets vietnamiens. Depuis peu, ses parents acceptaient son désir de faire carrière dans un autre milieu. Lan voulait devenir programmeuse informatique et faire beaucoup d'argent. Elle passait donc tout son temps libre à apprendre le fonctionnement de logiciels complexes ou à lire des manuels épais comme des dictionnaires.

Justement, lorsque Cathryn arriva à la cafétéria, Lan pianotait frénétiquement sur son portable tandis que Lucie feuilletait une revue de botanique. Cathryn prit place à la table.

PAF !

Un ballon de soccer cogna le derrière de sa tête, puis rebondit sur le plateau de Lucie. Le plateau fut propulsé dans les airs, faisant s'envoler tomates et légumineuses. Un blondinet accourut. Sans s'excuser ni remarquer la nourriture éparpillée, il récupéra son ballon et repartit aussi vite qu'il était arrivé.

—Maudit gros con ! grogna Lucie en ramassant son repas gâché.

Cathryn lui tendit son lunch :

—On partage ? J'ai un dîner végé.

—T'es ma sauveuse !

—Sont tous pareils, les gars, soupira Lan.

—Ils souffrent tous de débilité profonde ! plaisanta Cathryn.

Les trois amies éclatèrent de rire. Lan continua :

— Il paraît qu'à partir de 11 ans, l'évolution des gars ralentit. Et que celle des filles double de vitesse.

— T'as lu ça où ? demanda Cathryn.

— Sur un site de psychologie.

— Donc, ils régressent jusqu'à l'ère de l'homme des cavernes ? ajouta Lucie en riant.

— Le site disait que ça dure parfois jusqu'à l'âge de 20 ans !

— On est pas sorties du bois ! s'exclama Cathryn.

— Ça nous fait une bonne excuse pour pas avoir de chum, renchérit Lucie.

— Surtout qu'ici, on a les meilleurs spécimens de niaiseux, termina Cathryn.

Les trois amies tournèrent la tête pour inspecter la cafétéria. Les garçons autour couraient, se poussaient, se lançaient de la nourriture ou faisaient des concours de rots. On aurait dit une horde de macaques hyperactifs.

Lan, Lucie et Cathryn soupirèrent en chœur. Lan jura :

—Jamais je sortirai avec un gars de l'école.

—Moi non plus ! s'exclamèrent Lucie et Cathryn en même temps.

Elles tendirent leurs petits doigts pour les accrocher ensemble et comptèrent jusqu'à trois. Elles prêtèrent ainsi serment de ne jamais fréquenter les garçons immatures du collège. Madame Moisan arriva à la fin de leur pacte. Cathryn sursauta. Son estomac aussi.

—Mademoiselle Cathryn. J'espère que tu es en forme, parce que tu es la nouvelle scénographe de la troupe de théâtre !

—Pour de vrai ?

—Tes idées sont excellentes. Mais il faudra travailler fort pour les réaliser.

—Pro... promis, bégaya Cathryn, emportée par l'émotion.

Madame Moisan lui tendit une enveloppe :

—Voici le budget. Tu le dépasses pas d'une cenne. Et tu rapportes toutes les factures.

Cathryn prit l'enveloppe et madame Moisan s'éloigna.

—Je l'ai eu ! cria Cathryn.

Ses amies se mirent à crier :

—Waouh !

—Bravo, Cat ! C'est mérité. Tu as tellement travaillé !

—Merci. C'est vraiment trop cool...

Cathryn n'en revenait pas. On l'avait choisie ! Elle devait maintenant concrétiser ses idées, construire un décor, acheter des matériaux... Son cœur s'emballait et ses neurones trépignaient ! Elle hurla de joie. Tous les élèves de la cafétéria se retournèrent et la regardèrent de travers comme si elle était folle. Cathryn s'en moquait. Elle était fière de sa réussite.

# CHAPITRE 3

Les séances du comité d'animation de troisième secondaire étaient toujours houleuses. Certains voulaient organiser des conférences, d'autres des tournois d'improvisation ou des cours de danse. Personne ne s'entendait. Clara, la jeune technicienne en loisirs, n'avait aucun contrôle sur le groupe.

Ce vendredi-là, le ton avait vite monté. Il était question du thème de la fête du printemps, qui aurait lieu le 20 mars. C'était dans un mois et demi, mais il y avait tant de choses à organiser qu'ils devaient commencer tôt. Cette fête saisonnière présentait une multitude d'activités spéciales. C'était aussi une journée déguisée. La règle du collège était simple : se costumer selon le thème choisi ou porter l'uniforme obligatoire. En somme, tout le monde participait! Le comité d'animation de chaque année choisissait son thème. Un grand défilé regroupant tous les niveaux avait lieu pour déterminer les costumes les plus originaux. Il fallait trouver quelque chose d'innovateur et de drôle pour se démarquer.

Les débats des représentants de troisième secondaire ne menèrent à aucune conclusion. Chacun reviendrait à la prochaine rencontre avec une seule idée à présenter. Cathryn sortit tard du collège avec Lucie. La plus grosse tempête de l'année continuait à s'abattre sur la ville de Québec. Les flocons s'étaient accumulés toute la journée. Les deux amies traversèrent la cour intérieure enneigée en se plaignant de William qui voulait faire un *beach party* pour la fête du printemps. Ses motivations étaient claires: voir des filles se pavaner en bikini. Cathryn, appuyée par Lucie, s'y était vivement opposée. Elles planifiaient déjà une contre-attaque pour l'empêcher de gagner.

Malgré la réunion tumultueuse, Cathryn se sentait pleine d'énergie! L'euphorie provoquée par l'annonce de son poste de scénographe perdurait depuis deux jours. Elle avait si hâte de se mettre au travail !

Les deux amies s'arrêtèrent devant la basilique-cathédrale de Notre-Dame. Elles s'accotèrent à la clôture, près des voitures de parents venus chercher leurs enfants. Fidèle à son habitude, Lucie aborda ceux qui laissaient tourner leur moteur. Elle leur livra un discours antipollution rapide et efficace, puis revint auprès de Cathryn.

— T'es pas obligée de rester, lui dit-elle.

— Ça me dérange pas, Lulu. Comme ça, t'attends pas toute seule.

— T'as pas ton cours de BD ?

Cathryn haussa les épaules :

— J'ai encore un peu de temps avant.

— Peut-être que mon père va arriver à l'heure !

Les filles se mirent à rire. C'était impossible : le père de Lucie était toujours en retard ! C'était un riche homme d'affaires… pas très à son affaire quand il s'agissait de ponctualité.

Après qu'elles eurent passé plusieurs minutes à commenter les points saillants de la réunion, une Jeep luxueuse se gara devant elles. Lucie entra dans la grosse voiture en saluant son amie. Cathryn partit aussitôt vers la côte de la Fabrique. Elle marchait, absorbée par ses idées de décors fabuleux. Il y aurait de grands drapés, des projections de cristaux et une machine à faire du vent.

Comme un bon augure, la tempête se poursuivait. Les trottoirs de la rue Saint-Jean étaient quasi impraticables. Cathryn, qui adorait l'hiver, nageait dans le bonheur ! Elle aimait se battre contre le froid mordant. Ça lui donnait l'impression d'être une superhéroïne bravant la nature.

Le théâtre, la tempête... Et sa mère qui lui rendrait visite la fin de semaine suivante ! C'était un événement tout à fait exceptionnel. Elle voyait rarement sa mère. Patricia habitait à Ottawa et voyageait en tant qu'interprète officielle pour le gouvernement fédéral. Elle avait un horaire de fou, sans temps libre ni vacances ! Cathryn échangeait surtout des courriels avec elle. Mais cette fois-ci, sa mère passerait deux jours complets à Québec !

Cathryn voulait lui montrer ses dessins réalisés en début d'année. Au téléphone, Patricia avait dit qu'elle lui apporterait une surprise. Une grosse surprise ! Cathryn avait souvent reçu de tels présents, comme un vélo, un chien et même un voyage à Walt Disney World. Elle avait si hâte de savoir de quoi il s'agissait !

Depuis le divorce de ses parents, elle passait peu de temps avec sa mère. Et là, celle-ci pensait prendre un travail fixe à Montréal. Cathryn était tellement excitée ! Cette proximité changerait tout. Elle verrait sa mère plus souvent. Elle prévoyait même passer des fins de semaine complètes dans la métropole.

Peut-être pourrait-elle même un jour vivre avec sa mère ?

L'heure de son cours de BD approchait. Cathryn devait se rendre à la Maison Jaune, dans la Basse-Ville. Il y avait de plus en plus de passants dans la rue. Les étudiants sortaient de leurs cours. Les parents couraient vers les garderies. Les travailleurs se pressaient vers la banlieue. Il fallait aussi se faufiler au travers des touristes fascinés par la neige.

Vers la rue Saint-Stanislas, Cathryn ralentit. Elle ne put résister à l'envie de faire un tour dans sa boutique favorite : BD Québec. Situé au coin d'une rue minuscule, l'endroit passait facilement inaperçu. Il fallait garder l'œil ouvert pour trouver la vieille porte. Elle était très basse, disposée en angle et cachée par le panneau du restaurant voisin. Cathryn vérifia l'heure sur son téléphone. Elle avait juste le temps d'y aller quelques minutes, pour découvrir les nouveautés de la semaine. Elle poussa la porte et pénétra dans le petit commerce.

En y entrant pour la première fois, les visiteurs exprimaient toujours leur surprise de découvrir un espace aussi gigantesque et abondant en trésors. Des étagères remplies de bandes dessinées montaient jusqu'au plafond. Il y avait des figurines dans tous les racoins. Des affiches de grandes séries franco-belges et américaines se succédaient sur les murs. Au milieu se trouvaient des étagères qui préservaient des parutions plus anciennes. Avec les années, le propriétaire avait rassemblé une vaste collection. Il gardait tout. Son commerce était devenu un centre d'archives du neuvième art. On pouvait découvrir toute l'histoire de la bande dessinée en se promenant dans les allées.

L'endroit procurait à Cathryn un grand sentiment de paix intérieure. Les angoisses de la vie courante disparaissaient dès qu'elle y entrait. Elle adorait y déambuler et passer des heures à feuilleter de vieilles revues spécialisées ou à chercher des numéros rares de ses séries préférées. Ce jour-là, par contre, elle n'avait que 15 minutes. Top chrono!

Elle avança jusqu'au présentoir du fond et se plaignit aussitôt à voix haute:

—C'est pas vrai!

Le contenu de l'étagère des nouveautés n'avait pas été changé. Pourtant, c'était vendredi, jour où sortaient les dernières parutions.

«Ça, c'est sûrement la faute d'Éric!», pensa-t-elle en grommelant.

La boutique employait peu de personnel en plus du propriétaire : seulement Denis et Éric. Cathryn détestait ce dernier ! Il la regardait de haut, jugeait ses achats et passait plus de temps à texter qu'à travailler. Pire encore, il émettait toujours des commentaires déplacés sur les héroïnes de bandes dessinées. Selon lui, elles ne servaient qu'à mettre en valeur les vaillants personnages masculins ou à montrer leurs grosses poitrines moulées dans des costumes saugrenus.

Bref, c'était un abruti de première catégorie.

Fâchée, Cathryn inspecta les lieux à la recherche de son ennemi juré. Personne au comptoir ni dans les rangées. Elle alla jusqu'aux portes battantes délimitant l'arrière-boutique, réservée aux employés. Elle hésitait à entrer. Par chance, elle s'arrêta au moment où quelqu'un arrivait de dos, les bras chargés de boîtes. Le commis passa tout près d'elle, sans la voir.

Cathryn lui barra le chemin et cria :

— Eille ! Tu fais plus ta job ?

Le commis se retourna.

—Ayoye ! On se calme, là !

Cathryn sentit un picotement traverser son dos.

Ce n'était pas Éric ! Ni Denis. Ni le propriétaire.

L'inconnu la dévisageait avec un air bête. Il avait de grands yeux clairs, des cheveux châtains dépeignés et un début de barbiche. Il devait mesurer plus de 1 m 85, car Cathryn devait lever le menton pour le regarder dans les yeux. Le jeune homme était charmant. Il portait une tenue décontractée, classique des commis de la boutique : chandail de Thor, jean et souliers de course.

Cathryn restait figée comme une dinde surprise. Elle tenta de reprendre ses esprits, mais le regard de ce garçon la déstabilisait. Elle bafouilla :

—Excuse-moi. Je voulais pas être bête. Je croyais que c'était Éric. Je voulais pas...

Les mots sortirent gauchement, mais ils semblèrent calmer le commis inconnu.

—T'es nouveau ?

—Oui, je m'appelle Samuel.

—Éric travaille plus ici ? demanda Cathryn avec espoir.

—C'est Denis qui est parti.

—Dommage…

Samuel esquissa un sourire. Il déposa les boîtes sur le comptoir. Cathryn remarqua celle contenant les nouveautés et s'emporta à nouveau :

—T'as pas encore placé les nouvelles BD !

Samuel lui jeta un regard à la fois amusé et un peu insulté.

—Donne-moi une chance. C'est mon premier jour. Faut tout faire tout seul, ici !

Cathryn ne pouvait pas abandonner quelqu'un qui avait besoin d'aide. C'était inscrit dans son ADN. Comme si elle avait dans la tête un Yoda qui lui répétait tout le temps : « Les autres, tu aideras ! » Malgré son cours de BD qui commençait bientôt, elle s'empara de la boîte de nouveautés :

—Je connais le magasin par cœur. Je vais te donner un coup de main !

Samuel, hésitant, joua nerveusement avec ses mains :

—Je sais pas si c'est une bonne idée…

Trop tard. Cathryn s'installait déjà au pied de l'étagère. Samuel la rejoignit :

—Si quelqu'un te voit ? Qu'il le dit au boss ?

—Je vais être discrète !

Alors que Samuel tentait d'évaluer son honnêteté, cinq garçons entrèrent dans la boutique. Ils s'agglutinèrent devant les mangas, si faciles à voler en raison de leur petite taille. Samuel était tiraillé. Surveiller Cathryn ou les jeunes agités ?

Il se rapprocha de Cathryn :

—Je sais même pas comment tu t'appelles.

Cathryn lui tendit promptement la main :

—Cathryn ! Avec un Y et pas de E.

Ils échangèrent une rapide poignée de main en souriant. Les présentations officielles terminées, Samuel partit se poster près des gamins.

Cathryn trancha le ruban qui scellait la boîte avec sa clé de maison. Aussitôt, une odeur familière lui titilla le nez. Elle ferma les yeux et huma le parfum unique de papier neuf, de colle et d'encre fraîche. Elle adorait cet effluve de comics tout droit sortis de l'imprimerie.

Le premier sur le dessus était un *Batman*. Elle aurait aimé le lire tout de suite, mais elle devait se hâter. Agenouillée au sol, elle s'affaira à placer les livres par éditeurs, puis par collections : Marvel, DC, Vertigo, Image, Panini, etc. Elle avait vu les commis exécuter cette tâche si souvent que répéter leurs gestes fut facile. Elle termina en quelques minutes. Elle révisa le tout deux fois, s'assurant d'avoir bien regroupé les numéros d'une même série. Une vraie pro !

Elle rêvait de travailler ici. Malheureusement, à 14 ans, les seules options qui s'offraient à elle si elle voulait plus d'argent que son allocation hebdomadaire étaient le gardiennage ou la tonte de pelouses. Elle attendait ses 16 ans avec impatience !

Cathryn prit la boîte vide et la déposa sur le comptoir.

Nouveau coup d'œil à son téléphone : elle était en retard !

Cathryn se sentait fière de son travail. Elle aurait aimé montrer le résultat à Samuel, mais il avait disparu dans l'arrière-boutique. Tant pis. Elle empoigna son sac et sortit, le cœur réjoui d'avoir aidé.

La noirceur était déjà tombée. Des déneigeuses avaient commencé à dégager la rue, formant un immense mur de neige. Les piétons devaient marcher lentement. Ils avançaient à la queue leu leu, traçant un chemin étroit sur le trottoir non déblayé. Cathryn tentait de se presser en direction de l'avenue Honoré-Mercier. Chaque fois qu'elle osait un dépassement, elle devait s'arrêter pour éviter de se faire frapper par une voiture. À ce rythme, elle serait méga super en retard à son cours de BD !

Au coin de la rue D'Youville, elle attendit le feu vert en sautillant sur place pour se réchauffer. Le bonhomme piéton apparut. Cathryn s'apprêtait à traverser quand elle vit une vieille dame avec sa canne qui tâtait le sol pour trouver un endroit sûr où s'appuyer. Elle tenta un premier pas incertain et s'immobilisa.

Cathryn grogna intérieurement contre elle-même. Pourquoi se sentait-elle toujours obligée d'aider tout le monde ? Elle se plaça à la hauteur de la dame, pencha la tête pour lui sourire et lui offrit son bras. La vieille dame l'agrippa si fort que Cathryn faillit basculer.

—Merci, mon garçon, lui dit-elle.

Cathryn n'osa pas la corriger. Elle avança à pas de tortue, les genoux pliés pour garder son bras à la bonne hauteur. Sa position ridicule la faisait souffrir, mais la dame la tenait fermement. Arrivée de l'autre côté de la rue, Cathryn se déplia en soupirant. La dame partit d'un côté et Cathryn se retourna à temps…

À temps pour voir son autobus partir sans elle!

Tant pis. Cathryn décida de descendre la côte à pied.

Ce fut un choix désastreux. Elle arriva 20 minutes après le début de son cours, trempée et dégoulinante. Personne ne parut surpris. Elle était rarement à l'heure. Ses bonnes intentions la mettaient souvent en retard! Elle marcha discrètement jusqu'à l'arrière de la pièce et s'installa à la seule table libre.

Depuis l'été où elle s'était inscrite au camp de la Maison Jaune, Cathryn était devenue accro aux cours qui s'y donnaient.

Elle avait fait de la sculpture, de la gravure et de la peinture. Cette année, elle nageait dans le bonheur: elle faisait des cours de bande dessinée. C'était plus difficile qu'elle le pensait, surtout raconter une histoire.

Cathryn resta un moment immobile à fixer son cahier à dessin. Elle tentait de ralentir les pensées qui pirouettaient dans sa tête: les aléas du comité d'animation de troisième secondaire, les décors de théâtre, les formules mathématiques et les dates de la guerre de la Conquête apprises dans la journée...

Elle inspira, fit le vide et analysa sa bande dessinée. Son travail présentait son personnage de C.A.T.Y. à la poursuite de méchants dans le Vieux-Québec. Cathryn se mit à dessiner la case suivante. Elle suivait les consignes du jour: réaliser une case large avec une foule. Elle imagina un groupe de citoyens en détresse pourchassés par des garçons-macaques et des filles-serpents.

Plus elle dessinait, plus la tempête de ses pensées se calmait.

# CHAPITRE 4

Le soleil brillait malgré l'air glacial. Cathryn entra en vitesse dans son restaurant fétiche de l'avenue Honoré-Mercier. L'endroit était bondé, comme tous les samedis. Les serveurs transportaient de grands plateaux au rythme d'une musique jazz entraînante. La machine à espresso siffla ; de fins arômes de café se répandirent. On se serait cru dans un film qui se déroulerait à la fois à New York et à Paris.

Cathryn alla tout droit à sa table habituelle, celle pour deux au fond de la salle à manger. Elle sortit le volume de *Miss Marvel* qu'elle avait commencé dans l'autobus. Elle fit mine de lire, mais s'intéressa plutôt aux conversations des touristes autour d'elle. Ils bavardaient dans toutes les langues. Elle se laissa bercer par cette musique de mots inconnus qui réchauffait autant que les rayons qui traversaient les grandes fenêtres.

Mathilde arriva avec son grand sourire:

—Désolée pour le retard!

La meilleure amie de Cathryn déroula son foulard et retira vite manteau, mitaines et tuque. D'origine haïtienne, elle avait de longues nattes épaisses. Mathilde attrapa sa superbe chevelure d'une poigne solide, la roula sur sa tête et en fit un chignon avec un élastique rouge.

Cathryn et Mathilde se connaissaient depuis leur premier été au camp de la Maison Jaune. Elles avaient alors neuf ans. Mathilde faisait du théâtre et Cathryn, des arts plastiques. Depuis, elles étaient restées en contact. Malheureusement, elles ne fréquentaient pas la même école. Alors, elles déjeunaient ensemble tous les samedis. Elles se fixaient rendez-vous dans le Vieux-Québec, point central entre leurs maisons; Cathryn arrivait de Charlesbourg et Mathilde, de Sainte-Foy.

Cathryn devint tout excitée en voyant son amie :

— Tu sais quoi ?

— T'as un chum !

Cathryn grimaça. Mathilde rit en prenant un air faussement déçu.

— Ben non, nounoune ! J'ai su cette semaine que j'ai été choisie comme scénographe de la pièce de fin d'année à mon école !

— Je savais que ça marcherait, de pas dire ton âge !

— Ils l'ont su après ma présentation. Mais ç'a pas dérangé.

— Faque tu seras plus tout le temps en train de jouer avec ta maquette !

— Pire : faut que je fasse les décors au complet ! Tu m'aides à acheter des matériaux cet après-midi ?

— Ben oui !

— Va falloir se dépêcher. Ma mère arrive ce soir.

— Moi, j'ai besoin d'une nouvelle robe.

Le serveur se présenta à leur table sans noter leur commande. Il ne fit que confirmer qu'elles prendraient la même chose que d'habitude : deux chocolats chauds avec crème fouettée en extra et des crêpes choco-banane !

Mathilde se mit à se dandiner sur sa chaise. Elle semblait impatiente d'annoncer quelque chose, mais attendait que Cathryn lui pose des questions :

— T'as une grosse nouvelle ? demanda Cathryn, peu surprise.

— Tu devineras jamais !

— J'en doute même pas !

Mathilde se lançait souvent dans d'étonnants projets. Un jour, sur un coup de tête, elle s'était inscrite à des cours de cirque. Elle les avait abandonnés après deux séances de jonglerie en prétextant qu'un clown hideux la dévisageait tout le temps. Ainsi qu'elle avait aussi abandonné le ballet, le violon et le bénévolat auprès des personnes âgées.

Le point commun de ses fixations soudaines et passagères ? Sa passion numéro un : les garçons ! Pour attirer l'attention d'un certain Antoine, elle avait fait de l'escrime pendant deux mois. Plus tard, elle ne parlait que de Pedro, un jeune Espagnol en échange étudiant à son école. Elle avait vite laissé tomber ses rêves d'exil en Europe après l'avoir embrassé. Puis, il y avait eu ce Jean-Benoît de cinquième secondaire, un être lugubre et déprimé qui avait enflammé son cœur le temps d'un hiver.

Les aventures amoureuses de Mathilde amusaient bien Cathryn, même si, souvent, elle devait la sortir du pétrin.

—C'est qui, ton nouveau prince charmant ? s'enquit-elle en souriant.

—Te fous pas de ma gueule !

Mathilde émit son petit rire contagieux. Le serveur déposa leurs boissons devant elles. Les deux filles engloutirent les copeaux de chocolat et la crème fouettée comme si elles en mangeaient pour la première fois. Entre-temps, leurs crêpes arrivèrent.

Mathilde questionna Cathryn dès que le serveur fut reparti :

—Je suis si pitoyable ?

—Non, juste prévisible ! Il sort d'où, cette fois-ci ?

—J'ai trouvé un site avec des gars…

—Un site de rencontres ? *Come on !*

—Attends. Tu me laisses même pas raconter!

Cathryn fit mine de zipper ses lèvres et laissa son amie parler.

—C'est un site avec des forums pour du monde de notre âge pis de la région. J'ai écrit à un gars. Super sympathique pis intéressant. Il aime le cinéma pis la musique, comme moi!

—Comme tout le monde, tu veux dire!

Mathilde continua, ignorant les habituels sarcasmes de son amie:

—Et il est *geek* comme toi.

—Je suis pas *geek*!

—... dit la fille tout le temps dans ses BD!

—Pas tout le temps, quand même.

—Son surnom, c'est laid, mais je pense que c'est un truc de manga. Tu connais ça, Tuxedo Mask?

—C'est le gars dans *Sailor Moon*, confirma Cathryn.

—Viens pas me dire après que t'es pas *geek*!

Cathryn s'esclaffa, manquant de cracher sa bouchée. Elle avala et demanda:

—Vous vous êtes parlé souvent ?

—Juste écrit. Mais je sens que c'est le gars PAR-FAIT !

—Mathilde ! Ça peut être n'importe qui. Un pervers, un gros débile…

—Je suis certaine que non. Il m'a envoyé une photo.

Mathilde sortit son téléphone et lui montra l'écran. Elle ne vit qu'une chambre baignée par l'obscurité avec un adolescent caché dans l'ombre. Impossible de se faire une idée. Cette fois, Cathryn ne dit rien. Elle ne voulait pas gâcher le plaisir de son amie, qui adorait la magie et les romances.

Les deux filles terminèrent leur repas et mirent leurs manteaux pour affronter le froid. Elles firent le tour des magasins de la rue Saint-Jean. Entre deux étagères de jeans, Mathilde prit une décision et la partagea avec son amie :

—Je vais lui proposer qu'on se rencontre !

—Qui, ça ?

—Tuxedo !

Cathryn ne put s'empêcher de plaisanter :

—Tu veux dire ton inconnu d'Internet qui est sûrement un obsédé sexuel de 50 ans ?

—Je suis certaine que non.

—T'as raison, ricana Cathryn. Ça peut aussi être un jeune moron.

Mathilde haussa les épaules :

—Je veux quand même m'essayer.

—T'as plus de chances d'être déçue.

—À pas se lancer, on s'emmerde !

—C'est un peu risqué, non ?

—C'est pour ça que ma meilleure amie va venir avec moi.

Cathryn faillit s'étouffer avec sa salive.

—Ça va être si cool ! s'enflamma Mathilde.

—C'est vite pour un rendez-vous…

—Rabat-joie !

—Tu pourrais prendre le temps de mieux le connaître. Promets-moi d'attendre encore.

Cathryn lança un regard sérieux à sa meilleure amie. Mathilde comprit qu'elle ne blaguait plus. Elle fit un signe de croix sur son cœur :

—Promis, juré, craché.

Le serment rassura Cathryn, mais un point restait à préciser :

—Pis organise ça dans un endroit public !

—Je suis pas nouille, quand même! Tu vas m'aider, han? Faut que je trouve le kit parfait pour ma future soirée romantique!

La journée passa trop vite. Déjà, les deux amies devaient se séparer. Tout en marchant vers son arrêt d'autobus, Cathryn se remémorait les courses à faire avant de rentrer: épicerie, pharmacie, poissonnerie. Elle voulait préparer un repas formidable. Sa mère arrivait dans quelques heures. Elle devait se hâter.

Cathryn monta dans le bus les bras chargés de matériaux pour les décors. Elle s'installa au fond, où elle put étendre ses sacs sur trois bancs.

Descendue à Charlesbourg, elle alla tout droit à l'épicerie. Elle voulait acheter de la morue, mais celle-ci était vieille et grise. Elle la prit malgré tout, ainsi que les autres ingrédients pour faire le mets préféré de sa mère: de la soupe de poisson.

Elle fila vers les caisses comme une coureuse aux Olympiques! Dans son sprint, elle évita une cliente de justesse. Celle-ci était devant une étagère, les bras tendus vers le haut, désespérée de ne pas atteindre le produit voulu. La dame lui lança un regard suppliant. Cathryn se sentit contrainte de mettre ses bras de géante à profit.

Elle s'approcha:

—Je peux vous aider?

—Ce serait bien aimable! Je voudrais une bouteille de ça.

La dame pointa un contenant avec une étiquette rouge. Cathryn tendit le bras et l'attrapa sans effort. Elle s'apprêtait à repartir lorsque la femme la retint:

—Une autre, s'il te plaît. En fait, deux autres bouteilles!

Cathryn soupira, s'étira à nouveau et s'exécuta. Au lieu de dire merci, la dame se justifia:

—J'aime bien ça, le Bovril!

Cathryn sourit poliment, puis retourna à sa mission. Elle atteignit enfin les caisses. Bien sûr, elle se retrouva derrière un client qui comptait sa petite monnaie! Il sortait une pièce à la fois, la regardait, la déposait, puis la glissait vers la caissière…

Après ce qui parut une éternité, le client se rendit compte qu'il n'avait pas assez d'argent. Cathryn soupira. L'univers tout entier semblait s'être concerté pour la ralentir! Impuissante devant sa destinée, elle donna les pièces manquantes au client.

Plusieurs minutes plus tard, Cathryn arriva chez elle. Elle lança son manteau et ses bottes dans l'entrée, puis s'installa dans la cuisine. Comme elle était seule à la maison, elle mit le volume de la musique au maximum.

—Ma mère s'en vient! chantonna-t-elle avec énergie.

Elle coupa, trancha et grilla légumes et poisson. Des effluves appétissants embaumèrent la pièce. Cathryn termina la préparation en un temps record. La soupe mijotait déjà!

Pour passer le temps, elle tenta de poursuivre sa lecture de *Miss Marvel*, mais elle était distraite. Elle avait si hâte que sa mère arrive!

Cathryn avait la chance de vivre dans une joyeuse famille reconstituée. Son père,

François, et sa belle-mère, Manon, avaient partagé son bonheur d'avoir obtenu le poste de scénographe. Même sa demi-sœur de 18 ans, Anouk, championne mondiale de l'air bête, avait été généreuse dans ses félicitations.

Au début, son père s'était inquiété de l'ajout d'une nouvelle activité parascolaire dans l'emploi du temps déjà chargé de sa fille. Cathryn l'avait vite rassuré : elle lui avait promis que cela n'aurait aucun effet sur ses notes ou ses autres responsabilités. François ne s'était plus opposé. Cathryn adorait la confiance que son père plaçait en elle. Il ne doutait jamais de sa bonne volonté.

Manon était l'opposé de sa mère. Elle restait toujours calme, terre à terre et gentille. Elle ressemblait à François. De vraies âmes sœurs ! Pourtant, à huit ans, Cathryn avait protesté contre le remariage de son père. Toute son existence tournait alors autour de son cher papa. En fin de compte, Manon et Cathryn avaient développé une bonne relation. Rien d'instantané. Elles s'étaient apprivoisées avec le temps.

Manon avait une fille, Anouk. Elle avait accouché alors qu'elle n'avait que 16 ans. Elle avait été fille-mère ! Le père d'Anouk était parti et Manon s'était débrouillée toute seule. Elle avait travaillé dur. Une vraie superhéroïne.

Les demi-sœurs se voyaient au souper ou le matin avant l'école. La fin de semaine, elles jouaient parfois ensemble à des jeux vidéo ou regardaient des dessins animés. Anouk étudiait au cégep Limoilou en sciences de la nature. Depuis qu'elle était majeure, elle était devenue une vraie prétentieuse, comme si pouvoir voter la rendait soudainement plus intelligente.

Cathryn adorait sa petite famille. Elle rêvait pourtant de vivre avec sa mère. Elle éprouvait le besoin de mieux la connaître. Ce lien lui manquait.

Sa mère, Patricia... Avait-elle changé depuis la dernière fois ? C'était il y a cinq ans. Cathryn était encore à l'école primaire. Sa mère était venue à Québec pour son anniversaire. Elle était partie tôt, juste après le gâteau. Cathryn en gardait un souvenir flou. Elle était alors trop préoccupée par ses cadeaux !

Aurait-il été préférable que son père soit présent ce soir, au moins pour briser la glace ? À part quelques messages écrits, elle ne connaissait pas vraiment sa mère…

Cathryn secoua la tête pour chasser ses idées négatives. De toute manière, elle était elle-même différente. Elle n'avait plus neuf ans ! Et chaque jour, son visage prenait un peu plus les traits de Patricia. Cathryn laissait même pousser ses cheveux noirs pour lui ressembler.

Sa bande dessinée terminée, Cathryn voulut continuer à lire, mais elle n'avait rien de nouveau sous la main. Elle réfléchissait aux prochains comics qu'elle se procurerait quand… elle se mit à penser à Samuel. Il avait l'air si gentil ! Et il était mignon. Cathryn sourit toute seule dans la cuisine. Elle aurait maintenant une raison supplémentaire pour passer souvent à sa boutique préférée : admirer le nouvel employé !

Cathryn remarqua soudain l'heure tardive. Son téléphone sonna au même moment. Elle l'attrapa d'un geste habile :

—Oui, allô?

Une voix remplie de sanglots résonna:

—Cat!

C'était sa mère. Elle parlait faiblement, avec un timbre brisé par les larmes. Cathryn ne disait rien. Elle écoutait le souffle de Patricia qui s'accélérait.

Celle-ci ajouta enfin:

—C'est trop dur! Je viendrai pas. Ni ce soir, ni jamais. Je repars demain vivre en Alberta.

# 2. L'ÉCROULEMENT

# CHAPITRE 5

Cathryn était couchée en boule dans son lit. Elle ne se souvenait pas d'avoir éteint son téléphone ou le rond de la cuisinière. Les mots de sa mère résonnaient encore dans sa tête.

« Je viendrai pas. Ni ce soir, ni jamais. »

Pourquoi partait-elle ? Encore ! Et pour toujours ? En quoi était-il trop difficile pour sa mère de la voir ? Elle était sa fille unique, après tout ! Cathryn ne comprenait pas, et ça l'enrageait ! Elle pleura toute la nuit en se demandant ce qu'elle aurait pu faire différemment.

Le lendemain, lorsqu'elle raconta les événements à son père, celui-ci ne parut pas surpris :

— Elle change pas, ta mère.

— Pourquoi elle a pas voulu venir ?

— T'en fais pas. Aide-moi plutôt à faire la liste d'épicerie.

Cathryn s'étonna du manque d'empathie de son père. D'habitude, il n'hésitait pas à la soutenir et à prendre son parti. Cette fois-ci, pourtant, il semblait vouloir éviter le sujet.

Cathryn n'insista pas. Elle aida son père, puis retourna à ses devoirs pour penser à autre chose.

La semaine suivante, c'était la première réunion de la troupe de théâtre. La fébrilité était au rendez-vous, mais Cathryn se questionnait encore sur le comportement de Patricia. Des questions sans réponse tournaient en rond dans sa tête. Elle tenta de se concentrer.

Le groupe au complet était assis sur des chaises placées en cercle sur la scène. Les acteurs s'étaient regroupés autour de Bastien, le metteur en scène. Celui-ci passait sans cesse sa main dans ses cheveux. Il semblait impatient de commencer. Sa hâte était contagieuse. Carolanne et Léa, les actrices qui interprétaient Anna et Elsa, étaient assises sur le bout de leurs chaises, prêtes à se lever pour réciter sur demande leur texte déjà appris par cœur. À côté d'elles se trouvait Fred, le bouffon de cinquième secondaire qui jouerait Olaf, le bonhomme de neige. Installé de travers sur sa chaise, il avait l'air de s'amuser, même s'il ne se passait rien. Il chuchotait des blagues à Alec, le frimeur qui serait Kristoff, et Daniel, qui ferait Hans, le prince. Il y avait aussi Stéphanie et Antoine, qui assureraient les rôles secondaires, comme Pabbie et Bulda, Kai et Gerda, ou l'évêque et le roi d'Arendelle.

De l'autre côté du cercle se trouvait l'équipe technique. Après Kelly, la chef du groupe, il y avait Gustave, à la régie, puis Théo et Natalia, aux costumes, coiffures et maquillages. Cathryn était assise à droite de Marek. Son ancien adversaire au poste de scénographe avait décidé de participer à la pièce malgré sa défaite. Il serait l'assistant technique, c'est-à-dire le bras droit de tout le monde.

Madame Moisan commença enfin la réunion. Elle parla d'abord des efforts à fournir pour atteindre le succès. Elle présenta le théâtre comme un art complet, liant le visuel, la parole et le mouvement.

Dans d'autres circonstances, Cathryn aurait été captivée par ce discours passionné. Aujourd'hui, cependant, elle ne pouvait s'empêcher de penser au départ de sa mère. Elle aurait voulu disparaître dans un univers spatiotemporel parallèle où Patricia ne la quittait jamais. Elle se souvint que sa mère s'éclipsait souvent, même avant le divorce de ses parents. Elle disparaissait du jour au lendemain, et c'était son père qui prenait tout en charge. Et puis, elle réapparaissait. Elle reprenait ses habitudes, comme si rien ne s'était passé.

Cathryn réalisa qu'elle devait creuser loin dans sa mémoire pour dénicher des souvenirs heureux avec sa mère. Elle se rappelait s'être beaucoup amusée à se déguiser avec elle. Pourtant, Patricia pouvait être très dure. Des riens du quotidien devenaient dramatiques. Même se costumer en fées se transformait parfois en tragédie grecque. Elle reprochait tout et rien à sa fille, comme si, soudainement, elle la détestait.

Et si tout était de la faute de Cathryn? Avait-elle fait quelque chose de malheureux, un geste si atroce que sa mère ne s'en serait jamais remise? Peut-être un souvenir était-il enfoui si loin dans sa mémoire d'enfant qu'elle l'avait oublié…

Cathryn ne trouvait pourtant rien, sauf une impression de culpabilité. Sans aucun doute, elle avait fait quelque chose de grave. Elle se sentait inadéquate…

—… Vous avez été choisis pour votre talent, s'exclama bien fort madame Moisan afin de réveiller les endormis.

Cathryn sursauta. Son attention revint sur la professeure de français, qui la toisait. Celle-ci continua:

—Nous vous faisons confiance! La pièce annuelle est un grand moment pour le collège. Plusieurs acteurs de renom ont fait leurs premières armes sur cette scène. Soyez fiers, mais soyez à la hauteur!

« Pas de pression, surtout ! », pensa Cathryn avec ironie.

Madame Moisan expliqua comment les rencontres se dérouleraient, puis regroupa l'équipe d'acteurs d'un côté et l'équipe technique de l'autre. On organisa le travail à réaliser. Cathryn sentait les regards jaloux de Marek. Son état de déprime ne lui permettait pas de lutter contre son sentiment d'imposture. Elle devait se montrer à la hauteur, mais elle se sentait minuscule.

Après la réunion, Cathryn se hâta de ramasser ses affaires. Elle voulait sortir la première, mais quelqu'un l'accrocha par la manche :

— J'ai aimé ta maquette, lui lança Bastien.

Son ton profond lui donnait un genre mystérieux. Cathryn répondit tout bonnement :

— Merci. J'espère réussir à la recréer…

— Pourquoi pas ?

— T'as vu le minibudget qu'on a pour les décors ?

Elle lui tendit une feuille, mais il la repoussa du revers de la main :

— C'est pas mon problème. C'est TA job de réussir.

Le manque de solidarité de Bastien noircit le moral déjà pas très rose de Cathryn. Elle aurait aimé que le metteur en scène soit son partenaire, pas son ennemi.

Cathryn réussit à sortir de l'amphithéâtre sans autre accrochage. Elle était censée rejoindre le comité d'animation pour organiser la fête du printemps prévue avant le congé de Pâques, mais elle n'avait vraiment pas envie de participer à une nouvelle séance de chicane.

Et elle s'en moquait un peu…

Elle décida plutôt d'aller se promener. L'air frais lui faisait toujours du bien.

La vieille ville était calme. Cathryn monta vers le château Frontenac pour voir le fleuve. Du haut de la terrasse Dufferin, elle regarda les glaces flotter. Comme elle commença à geler après seulement quelques minutes, elle revint sur ses pas vers son arrêt d'autobus.

En chemin, elle passa près de « sa » boutique de bandes dessinées et y entra sans réfléchir. Elle fut heureuse de constater que Samuel était là. Il classait des bandes dessinées derrière le comptoir.

—Hé ! Ma *helper* préférée ! s'exclama Samuel en la voyant.

Cathryn s'approcha, un peu gênée. Il continua gentiment :

—J'ai pas pu te dire merci l'autre fois. Tu m'as vraiment sorti du pétrin.

Elle haussa les épaules :

—J'aime ça, aider.

—C'est qui, ton préféré ?

Samuel fit un signe de tête vers le mur où différentes images de personnages de comics étaient rassemblées. Cathryn ne mit pas plus d'une seconde avant de répondre :

—J'ai toujours aimé Batman.

—Pourquoi ?

—Il a pas de "vrais" pouvoirs. Je veux dire, il est humain. Ça le rend comme plus fort…

Samuel la regarda avec surprise :

—Wow ! Je m'attendais pas à une si bonne réponse.

—Pourquoi ? Parce que je suis une fille ?

Épuisée par sa journée et ses tourments, Cathryn avait répondu plus sec qu'elle l'aurait voulu. Elle le regrettait déjà. Samuel, visiblement embarrassé, se défendit :

—Ben non !

Cathryn s'excusa en riant pour détendre l'atmosphère :

—Laisse faire, c'est moi qui suis bête. J'ai passé une semaine poche et… j'ai comme pas le moral.

—Je voulais rien insinuer, ajouta Samuel en jouant nerveusement avec ses mains.

—Ça arrive souvent que des gars doutent de mes connaissances en BD. Parce que je suis une fille !

—Pourtant, ta réponse était plutôt cool.

Flattée par le compliment, Cathryn sentit néanmoins la gêne monter dans son visage. Samuel continua :

—Tu connais bien la BD, on dirait !

—J'en connais sûrement plus que toi !

—Tu penses ?

Samuel arrêta son classage pour réfléchir. Il cherchait une question pour tester les connaissances de Cathryn :

—Alors, madame la spécialiste, c'est quoi le prénom du capitaine Haddock ?

— Facile ! Archibald !

— Oh ! T'es forte !

Amusée et fière, Cathryn souriait à en avoir mal aux joues. Tous ses tracas venaient de disparaître. Samuel chercha d'autres questions pour la piéger :

— Pour qui travaille Spawn ?

— Pour Satan.

— C'est quoi la date de la première publication de *Superman* ?

Cathryn connaissait la réponse. L'année précédente, elle avait fait un arbre généalogique pour un travail à l'école. Elle devait associer les dates de naissance de ses ancêtres à des événements historiques. Elle avait alors découvert que son grand-père maternel était né la même année que la sortie de *Superman*. L'adepte de comics qu'elle était ne l'avait jamais oublié.

— 1938 !

— Wow ! J'admets, t'es douée. Tu devrais travailler ici !

Cathryn avait l'impression qu'encore une fois, on se trompait sur son âge. Elle n'osa rien dire : Samuel la trouverait peut-être trop jeune pour continuer à lui parler...

Elle aimait cette ambiance agréable, si différente de quand Éric était là !

Le téléphone de la boutique sonna et Samuel s'éloigna pour répondre. Cathryn consulta les rayons. Elle rêva aux bandes dessinées qu'elle achèterait si elle en avait les moyens.

Il se faisait tard. Elle devait partir. Elle fit un signe d'au revoir à Samuel. Celui-ci, toujours au téléphone, mit l'appel en attente et lui demanda :

— On se revoit demain ?

— Je viens quand même pas ici TOUS les jours !

Samuel la salua de la main en souriant, laissant entrevoir de petites fossettes dans ses joues. Il reprit son appel. Cathryn sortit. Légère, elle se mit à courir comme si elle survolait le chemin du retour. Certaines personnes, comme sa mère, pouvaient faire tellement de mal ! Et d'autres, comme Samuel, pouvaient effacer tous les problèmes avec un simple sourire.

# CHAPITRE 6

Le mois de février était horriblement horrifiant pour Cathryn. Elle devait réviser en vue de ses examens qui approchaient. Son père lui avait organisé un « bel » horaire de tâches ménagères. Et pour finir, elle devait créer toute la scénographie de la pièce.

Au début, elle avait bon espoir de parvenir à tout faire…

Au début seulement !

Plus le temps avançait, plus elle doutait de réussir. Il lui avait fallu trois semaines seulement pour monter les grands panneaux de carton. Elle n'avait pas encore commencé la peinture. Et son ordinateur refusait de fonctionner. Elle utilisait donc ceux des locaux informatiques de l'école pour réaliser son animation 2D. Malheureusement, ils n'étaient disponibles que pendant l'heure du dîner !

Comment pourrait-elle tout terminer pour le 14 juin ?

Chaque minute était un concentré de tâches urgentes. Sa capacité à faire plusieurs choses en même temps atteignait des sommets ! Elle dessinait tout en textant, mangeait tout en révisant ses cours et marchait tout en planifiant la prochaine étape des décors.

Son horaire frénétique l'épuisait de plus en plus. Et même pas le temps d'aller à la boutique de BD pour se changer les idées ! Au moins, comme promis à son père, ses activités n'influençaient pas ses notes. Et toutes ses occupations lui permettaient de moins penser à Patricia…

Au début du mois de mars, Cathryn sentait que son cerveau allait exploser ! Mathilde, qui commençait à s'inquiéter, lui téléphona :

— T'es en vie ?

— Pas le temps de te parler ! J'ai pas fini mes devoirs ni mon ménage !

Mathilde se mit à plaisanter :

— Grouille-toi. Mon forfait illimité commence à me servir à rien !

— T'as pas d'autres amis à harceler au téléphone ? dit Cathryn pour se moquer.

— J'appellerais bien Tuxedo pour le rencontrer en personne, mais j'ai promis à ma meilleure amie d'attendre !

— Bon, bon, les reproches !

Les deux amies rirent en chœur avant de raccrocher. Cathryn soupira et reprit son volume de mathématiques. Lorsque son père lui apporta une collation, elle explosa :

— Papa ! Je suis fatiguée, là. Est-ce que je peux sauter mes tâches de maison ?

— Tout le monde participe aux corvées…

— Je sais ! Mais j'étudie sans arrêt depuis deux jours. Je suis tannée.

Elle implora son père du regard. Il abdiqua :

— Va prendre l'air. Ça va te redonner de l'énergie.

— Je peux ?

—Reviens avant le souper.

—Promis !

Cathryn n'hésita pas un instant. Elle repoussa ses livres et s'habilla en vitesse. Elle croisa alors son reflet dans le miroir et eut un étrange mal de cœur. Se voyant ainsi, les cheveux longs et l'air fatigué, elle reconnut le portrait de sa mère.

Elle ressemblait tellement à Patricia !

Elle mit sa tuque en grognant et sortit sous les derniers rayons de soleil de la journée. Elle marcha avec énergie, tentant d'éloigner les pensées négatives qui la pourchassaient. Sa mère la hantait ! Elle voulait l'oublier. Une seule chose lui changerait les idées…

Arrivée au parc, hors de vue de la maison, elle bifurqua jusqu'à l'arrêt d'autobus. Elle s'en allait dans le Vieux-Québec !

Trente minutes plus tard, Cathryn descendait à l'avenue Honoré-Mercier. Sans réfléchir, elle entra dans le premier salon de coiffure qu'elle croisa. Elle ordonna à la coiffeuse de couper court ! Rien ne pouvait la faire changer d'idée. Résultat : une coupe au carré et des cheveux lissés.

Enfin ! Elle ne ressemblait plus à sa mère ! Elle en avait assez d'attendre et de désespérer de la revoir. Elle voulait passer à autre chose.

Elle profita de sa balade pour acheter de nouveaux ciseaux, des feutres noirs et du lustre pour les décors. Elle sortit rayonnante du magasin. Sa pause d'étude lui permettait d'évacuer de la pression. Se sentant dans une forme nouvelle, elle décida d'aller à la boutique de bandes dessinées. Lorsqu'elle ouvrit la porte, une grande bouffée de chaleur l'enveloppa. Elle regarda partout, cherchant Samuel…

Et s'il ne travaillait pas aujourd'hui ? Elle était pourtant certaine d'avoir mémorisé son horaire.

Cathryn se sentit soudainement idiote de mener cette escapade clandestine alors qu'un million de responsabilités l'attendaient à la maison.

— Wow ! T'as fait couper tes cheveux ?

Samuel était là. Musique de victoire, trompettes et confettis !

Il souriait en admirant sa nouvelle tête. Cathryn, gênée, tâta le bout de ses cheveux :

—J'avais besoin de changement.

—C'est beau.

Samuel lui fit un clin d'œil et plaisanta:

—Je pensais te revoir flâner ici plus tôt, Cathryn avec un Y et pas de E!

Cathryn mit les mains dans ses poches pour se donner un air détendu, mais au fond, elle avait peur de paraître ridicule. Elle utilisa donc le prétexte qu'elle avait préparé:

—J'étais super occupée... Et je viens pas juste flâner! J'ai quelque chose à acheter.

—Dommage, dit Samuel. Je pensais que tu venais me voir.

Il rit en feignant un air déçu. Cathryn, plutôt nerveuse, se réfugia dans la section des mangas. Pour ne pas avoir l'air de mentir, il fallait bien qu'elle achète quelque chose. Elle se rabattit sur un cadeau pour Mathilde. Elle trouva vite ce qu'elle cherchait: un exemplaire de *Sailor Moon* dans lequel Tuxedo Mask apparaissait. C'était bien sûr pour taquiner son amie à propos de son soi-disant prince charmant d'Internet.

Cathryn retrouva Samuel au comptoir. Il la dévisagea un instant:

— Je pensais que tu préférais les comics !

— C'est une blague entre mon amie et moi, répondit-elle simplement.

Samuel la fit payer.

— Si tu travaillais ici, t'aurais un méga-rabais, dit-il pour la rendre jalouse.

— J'en rêve !

— T'as déjà une job ?

Cathryn fut déstabilisée par la question. C'était sa chance de révéler son âge à Samuel. Pourtant, au lieu de préciser qu'elle n'avait que 14 ans, elle répondit :

— Oui, je travaille dans un resto !

La réponse était sortie toute seule. Cathryn avait envie de dire oui à tout ce que Samuel lui demandait. Son esprit semblait défectueux en sa présence.

Comment s'extirper de cette histoire ?

Trop tard. Il la coinça avec une autre question :

— Lequel ?

Un seul endroit lui vint en tête :

— Chez Kim Lan. En Basse-Ville.

C'était le restaurant des parents de Lan. Cathryn connaissait bien l'endroit pour y faire souvent des travaux d'équipe avec ses amies. Elle pensait s'en être tirée, mais Samuel continua son questionnaire sur sa vie personnelle. En fin de compte, elle aurait peut-être dû rester chez elle à passer l'aspirateur…

Samuel lui demanda :

— T'as des cours demain matin ?

— Ben oui !

— Moi aussi. Cours d'anglais à 8 h. Au fait, t'es en cinquième secondaire ou au cégep ?

Le cerveau de Cathryn s'enraya. Figée comme une truite congelée, elle cherchait quoi dire. Elle n'avait plus du tout envie de révéler qu'elle n'était qu'en troisième secondaire :

— En cinq !

— Moi, je suis à ma première année de cégep. Sciences de la nature, à Limoilou.

— C'est cool, le cégep ?

— Ouain. Les horaires sont plus lousses, les groupes changent. C'est *nice*…

Samuel parlait, mais Cathryn, obnubilée par ses mensonges, l'écoutait à moitié. « Je suis en cinquième secondaire ? Je travaille ? Je suis trop conne, des fois ! », pensait-elle.

—Ça va ? lui demanda Samuel.

Cathryn revint sur terre :

—Oui, oui !

—Je ferme la boutique dans pas long. Si tu veux...

—Oh non ! s'exclama Cathryn.

« Mathématiques, aspirateur, théâtre... » Ses responsabilités lui revinrent en tête comme une tornade ravageant tout sur son passage. Son cœur lui disait de rester, mais la raison prit le contrôle de ses jambes. Elle fila vers la porte en s'excusant :

—Je dois partir. Je suis VRAIMENT en retard.

—OK...

Samuel l'interpella alors qu'elle ouvrait :

—Cathryn ? On va se revoir ?

Elle tenta de rester détachée :

—Ben oui. Tu peux m'appeler Cat, tu sais.

—Bye, Cat !

—Bye, Sam !

Cathryn sortit. Cette fois, elle ne planait pas : elle fondait ! Elle ne comprenait pas ce qui lui arrivait. Pourquoi mentir à Samuel, qui était si gentil ?

Elle courut à toute vitesse sur la place D'Youville. Son cœur battait la chamade lorsqu'elle entra dans l'autobus bondé. Elle dut rester debout, coincée entre des enfants hyperactifs et des sportifs puants de retour de leur entraînement. Par chance, sa grandeur lui permettait de garder le nez loin des aisselles des autres passagers.

Son cœur ne voulait pas arrêter de tambouriner. Qu'est-ce qui provoquait cette poussée d'adrénaline : son retard ou Samuel ?

Cathryn courut les derniers mètres qui la séparaient de chez elle.

Elle était en retard de plus de deux heures !

Aucun son dans la maison. Ni la télévision ni le lave-vaisselle ne fonctionnaient. Cathryn tenta une entrée subtile, mais François et Manon l'attendaient dans la cuisine. Son père avait les bras croisés et le front plissé. Il avait plus l'air déçu que fâché. Manon était assise à table devant un sudoku. Son père lança sèchement :

— Explications !

— J'ai pas vu l'heure.

—Et le soleil ? T'as pas vu qu'il se couchait ? Il est trop tard pour faire tes tâches maintenant.

—C'est pas de ma faute. Je manque de temps...

—Je savais que tes activités parascolaires auraient un effet sur l'école !

Cathryn se sentit soudainement très mal. Son père continua avec un ton attristé :

—On dirait que je peux plus te faire confiance.

C'était la première fois que son père doutait d'elle. Les mots frappèrent fort dans le cœur de Cathryn. Quelque chose se brisait. François poursuivit son attaque alors qu'elle était déjà K.O. :

—Je suis déçu.

—Je voulais pas...

—Ça suffit pas !

—Je te promets de faire mieux.

—Fais pas de promesses si tu peux pas les tenir. Fais pas comme ta mère !

Cathryn était sous le choc. Son père venait de la comparer à cette femme odieuse qui gâchait sa vie ! C'en était trop. Elle s'enferma dans sa chambre et grogna dans un oreiller pour évacuer sa frustration. Son père était si injuste !

« Je suis pas comme elle, je suis pas comme elle... »

Cathryn répétait ces mots, mais elle y croyait de moins en moins. Elle sentit son cœur se comprimer. Peut-être que oui, finalement, elle était EXACTEMENT comme sa mère.

Menteuse et indigne de confiance.

Quelques minutes plus tard, Manon entra dans sa chambre. Elle lui apportait une portion réchauffée du souper.

— Tu feras la vaisselle après, lui dit-elle.

Manon flatta doucement ses cheveux fraîchement coupés, puis repartit.

Cathryn n'avait pas faim. Surtout pas pour du pain de viande. Elle n'avala que les patates pilées et rapporta le plateau à la cuisine. Un amoncellement d'assiettes, de casseroles et de chaudrons crottés l'attendait sur le bord de l'évier.

Elle en aurait pour des heures à récurer !

# CHAPITRE 7

C'était déjà le 20 mars, jour de l'équinoxe. Les bancs de neige avaient commencé à fondre. Le vent se réchauffait. Les végétaux se réveillaient lentement, et on apercevait quelques bourgeons hâtifs dans les arbres. À Québec, le printemps apportait toujours une bonne humeur exceptionnelle. On pouvait enfin retirer quelques couches de vêtements. On retrouvait la vie au-dessus de zéro degré Celsius et on fantasmait sur la saison estivale à venir.

Le beau temps arrivait à point: c'était la fête du printemps au collège. Pendant la pause du dîner, les jeunes étaient sortis sans manteaux ni tuques. Tout un spectacle! Les élèves de première secondaire étaient déguisés en fleurs, ceux de deuxième en arbres, ceux de quatrième en soleils et ceux de cinquième en lapins.

Finalement, William avait réussi à faire passer son idée de *beach party* ! L'absence de Cathryn à la réunion du comité avait facilité l'adoption de son plan. Les élèves de troisième secondaire grelottaient donc dans l'école, accoutrés de camisoles et de shorts. C'était à la limite du présentable. Autant les gars que les filles avaient profité de ce prétexte pour s'habiller BEAUCOUP trop sexy.

Pour Cathryn, c'était la pire des fêtes du printemps. Elle était la seule du collège à se promener en uniforme : elle avait tant de choses en tête qu'elle avait oublié de se déguiser !

Les bras croisés près d'une salle de classe, elle écoutait Lan et Lucie en tentant d'ignorer les rires autour d'elle. Ses amies, elles, s'étaient souvenues que l'uniforme n'était pas obligatoire aujourd'hui. Lan portait une chemise hawaïenne et des lunettes fumées, tandis que Lucie rayonnait dans un costume d'ananas. Elle allait sans doute encore gagner le prix du costume le plus original.

En plus de ses autres problèmes, Cathryn commençait un rhume. Son nez coulait sans cesse. Elle anticipait déjà la torture d'un cours dans cet état. Comme elle avait épuisé sa réserve de mouchoirs en matinée, elle avait fait le plein de papier de toilette.

Lucie la regarda avec indignation lorsqu'elle se moucha :

—Tu as jamais pensé à traîner un mouchoir en tissu ?

—Tu veux dire un vieux truc gluant ? rigola Cathryn. Non, merci !

—Tu pourrais au moins utiliser des mouchoirs en papier recyclé, sans colorant.

Lan s'en mêla :

—Il paraît que l'industrie des mouchoirs, c'est hyper polluant. J'ai lu sur Internet qu'un mouchoir prend trois mois à se décomposer dans la nature !

Cathryn souffla bruyamment par le nez pour montrer son agacement. Elle n'avait pas la tête à se faire faire la morale. Elle en avait assez avec son père !

Monsieur Cohen, le professeur de mathématiques, arriva enfin. Il passa près de Cathryn, lui offrant ainsi une vue privilégiée sur sa calvitie. La cloche du début des cours sonna. Tous se ruèrent à leur place. Sans dire un mot, monsieur Cohen distribua les feuilles du minitest de la journée. Les conversations cessèrent. La classe devint silencieuse.

Cathryn tenta de répondre aux questions, mais toutes les formules semblaient avoir disparu de son cerveau.

Une fois le temps écoulé, chacun passa sa copie au voisin d'en arrière pour la correction. Monsieur Cohen ramassa les feuilles pour noter les résultats. Cela fait, il s'engagea dans la première rangée pour rendre les examens corrigés – un moment solennel. Il avançait lourdement, avec un air grave. S'il toussotait en donnant une copie, c'était mauvais signe.

Il posa une feuille sur la table de Cathryn. Et toussota :

— Votre récente paresse est tout à fait exceptionnelle, mademoiselle Cathryn.

Monsieur Cohen continua son chemin. Cathryn retourna sa copie. Un désastre ! Une feuille blanche barbouillée de ratures. Tout en haut trônait un gros 45 % écrit au feutre rouge.

Elle avait échoué. Son père allait la tuer !

Elle ne comprenait pas ce qui lui arrivait. Dans la classe, les élèves correspondaient en cachette, chuchotaient ou dormaient, mais tous, apparemment, avaient réussi leur examen. Cathryn, elle, travaillait fort, mais avait échoué. Désespérée, elle ouvrit son cahier, non pas pour étudier, mais pour dessiner.

À la fin de la journée, Cathryn se sentait si lasse ! Elle avait une réunion de théâtre, mais le cœur n'y était pas. Plus rien ne fonctionnait. Il lui semblait impossible de réaliser le projet qu'elle avait en tête. Et l'argent du budget était à moitié dépensé ; elle ne pouvait plus changer d'idée.

C'est sans enthousiasme qu'elle se remit à la préparation des décors. Installée dans le fond des coulisses, côté cour, elle peignait des panneaux de carton épais. C'était la troisième fois qu'elle refaisait son mélange. Comme la couleur n'était pas à son goût, elle avait dû acheter un pot de peinture supplémentaire.

À l'avant de la scène, les comédiens récitaient leur texte. Cathryn entendait Bastien les conseiller et proposer des déplacements. Il prenait son rôle très au sérieux.

Les acteurs prirent une pause. Certains vinrent observer l'évolution de la construction des décors. Ils ne semblaient pas très convaincus.

Carolanne en profita pour se moquer de Cathryn :

— C'est donc ben original, ton déguisement !

Tout le monde pouffa. Cathryn se retourna. La troupe s'était amassée derrière elle.

Léa pointa les panneaux :

— C'est quoi, tout ça ?

— L'histoire se passe pas la nuit, ajouta Alec avec mépris.

Cathryn hésita à répondre. Elle-même n'était pas satisfaite. Elle fit néanmoins semblant que tout se déroulait comme prévu :

— C'est juste la première couche.

Personne ne sembla la croire. Cathryn avait pourtant plein d'idées dans la tête, mais elle ne savait plus comment faire pour les réaliser. Sa démotivation générale tuait sa créativité.

Était-elle devenue incompétente ? La pression autour d'elle était insupportable.

Bastien se plaignit :

— C'est ben trop foncé.

— Ça serait plus simple de juste mettre des rideaux noirs, ajouta Carolanne.

— T'es certaine de ce que tu fais ? ajouta Bastien, fâché.

Cathryn acquiesça, mais elle sentait la tristesse monter en elle. Ils avaient raison : son travail était pitoyable !

Madame Moisan aussi vint faire son tour. Elle s'approcha des panneaux, regarda aux alentours. Cathryn recommença à peindre comme si elle était seule dans l'univers.

— Ce n'est pas très avancé, fit remarquer la professeure.

Cathryn répondit dans un souffle :

— Le début, c'est long, mais après, ça va aller super vite.

— Tu as terminé ton montage vidéo ? demanda madame Moisan.

— Presque.

Cathryn n'osa pas regarder la professeure en face. Celle-ci continua :

—Tes panneaux ne font vraiment pas “glacial” ni “neige”. Change ça. Tu pourrais faire des ronds blancs, des flocons. Faut ajuster !

—OK, répondit Cathryn sans conviction.

Madame Moisan tapa dans ses mains pour inviter les comédiens à retourner au travail. Tout le monde partit enfin.

Cathryn soupira en regardant son désastre. Ces efforts en valaient-ils la peine ? Ce projet lui semblait si simple au début. Aller à ses cours, lire des bandes dessinées, étudier… Maintenant, tout son temps passait dans les décors !

Les maudits décors !

Elle avait envie de tout abandonner. Mais que dirait-on d’elle ? On la traiterait de lâcheuse. La pièce serait peut-être même annulée.

Cathryn ouvrit le pot de peinture blanche. Elle se mit à peindre des points sur les panneaux. C’était horrible. Les décors avaient maintenant un look pied-de-poule rétro.

Marek passa alors en charriant des câbles avec Théo. Il s’arrêta tout près de Cathryn et souffla :

— C'est bizarre, ton truc.

— Tu vas voir plus tard.

Cathryn, de moins en moins confiante, avait répondu avec un début de tremblement dans la voix. Elle sentait la colère monter. Elle était sur le point d'exploser.

— Ça va être beau, continua-t-elle, pas du tout convaincue.

— T'aurais dû me laisser peindre, ajouta Marek.

— Pourquoi ?

— Je suis bien meilleur que toi en peinture, tu le sais.

Cathryn n'en pouvait plus. Elle refoula ses larmes : elle refusait de pleurer en public. Elle en avait assez de tous ces commentaires. Rien ne l'obligeait à subir cette pression.

— Si c'est comme ça, cria-t-elle à Marek, fais-le toi-même ! Je lâche !

Cathryn catapulta son pinceau sur Marek. Des éclaboussures tachèrent les rideaux et le plancher. Elle ramassa ses affaires et quitta l'amphithéâtre.

C'était décidé : elle abandonnait.

À son arrivée à la maison, Cathryn se sentait à la fois soulagée et honteuse. Elle avait promis de réussir. Elle avait échoué. Elle se détestait.

Frustrée, elle lança à son père son examen raté et une lettre de l'école. Celle-ci faisait mention de ses récents problèmes scolaires.

François y jeta un œil désespéré :

—Tu m'avais dit que t'avais étudié !

—Je pensais que c'était assez.

—Tu pourrais être renvoyée si tu continues à couler comme ça. Ça te tente, changer d'école ?

—Non.

—Alors, mets les bouchées doubles, se fâcha François.

Encore de la pression. Cathryn n'en pouvait plus de devoir être infaillible. Elle n'était pas une superhéroïne. Elle n'avait pas de pouvoir qui réglait tous les problèmes. Elle s'emporta à nouveau :

—Ben oui ! J'le sais ! Je vais faire des cours de rattrapage ! J'ai même lâché le théâtre ! T'es content, là ?

Cathryn partit sans laisser à son père le temps de répondre. Elle s'enferma dans sa chambre et étudia presque toute la nuit pour tenter de remonter la pente.

# 3. LA DÉRIVE D'UNE SUPERHÉROÏNE

# CHAPITRE 8

Cathryn engloutit une barre tendre d'un trait, puis entra dans la classe. Son cours de BD était commencé. Elle se faufila entre les tables. En s'assoyant, elle vit que le professeur lui lançait un regard sévère. C'était la première fois qu'il semblait fâché de son retard.

Depuis quand était-il devenu méchant ? Tim était plutôt gentil et compréhensif. Peut-être passait-il des journées exaspérantes, lui aussi ?

Tim présenta quelques notions, puis les participants se mirent à dessiner. Le professeur fit le tour de la salle pour donner avis et conseils. Il s'arrêta derrière Cathryn et, inspectant son travail, lui dit :

—Tu as du talent. C'est plate que tu le gâches à juste copier.

Une boule de démolition imaginaire frappa Cathryn en plein visage.

Tim lui demanda :

—Qu'est-ce que tu veux exprimer avec ton personnage ?

Cathryn ne s'était jamais posé cette question. C.A.T.Y., ce n'était qu'une bande dessinée mettant en vedette une superhéroïne ! Elle prenait surtout plaisir à s'inventer un alter ego qui avait la force de tout accomplir. Sans douter ni avoir peur.

Cathryn sentit le besoin de se défendre :

—Je suis pas Picasso. Je dessine juste un comics. Est-ce que j'ai besoin de "dire quelque chose" ?

Tim la regarda, un peu insulté :

—La bande dessinée, pour toi, c'est pas de l'art ?

—C'est pas ça que je veux dire. Mais... Ma superhéroïne, elle sauve le monde. C'est tout.

Tim croisa les bras. Il semblait vraiment irrité :

— Donc, elle est parfaite, ta superhéroïne. Aucune faille ? Pourquoi elle sauve les autres ? Qu'est-ce qui la pousse à se mettre en danger ?

La réponse de Cathryn sortit sans qu'elle y réfléchisse :

— Pendant qu'elle s'occupe des autres, elle pense pas à ses problèmes.

Tim posa une main sur son épaule :

— Utilise ça pour créer des situations. Modifie son apparence en conséquence. Pis arrête de copier le style des autres BD. Fais pas juste répéter.

« Facile à dire ! », pensa Cathryn.

Elle ne savait plus comment continuer son dessin. Les réflexions de Tim l'avaient embrouillée. Dès qu'elle s'apprêtait à donner un nouveau coup de crayon, le doute s'installait et elle s'arrêtait. Elle n'avait jamais aussi peu dessiné pendant un atelier d'art.

Tim annonça la fin du cours :

— D'ici la semaine prochaine, faites des esquisses selon les règles de proportion qu'on a vues. Cathryn ? Tu peux rester une minute ?

Cathryn sursauta en entendant son nom. Anxieuse à l'idée de parler seule avec le prof, elle se hâta de le rejoindre. Tim attendit qu'ils soient seuls pour lui demander:

—Ça va, toi?

—Oui, pourquoi?

—Tu es tout le temps dans la lune. Tu dessines n'importe comment. Ça te ressemble pas.

—C'est pas si pire que ça.

Tim prit la tablette à dessin de Cathryn et la feuilleta. Les premiers dessins étaient franchement mieux réussis que ceux de la fin. Ils semblaient plus soignés, moins faits à la va-vite. Ses derniers bonshommes ne respectaient aucune règle de proportion. Ils avaient les yeux gros comme des mains et les bras trois fois plus longs que la tête.

—D'habitude, plus on avance, mieux c'est. Toi, c'est le contraire.

—Je suis juste pas inspirée ces temps-ci, se justifia Cathryn.

Sa réponse ne sembla pas satisfaire le professeur.

—Si tu en as besoin, viens me parler.

Cathryn s'en alla sans répondre. Elle pensait à ses dessins biscornus : peu importe ce qu'elle faisait, ce n'était jamais correct.

En sortant de la Maison Jaune, Cathryn avait mal au ventre. C'était la première fois qu'elle terminait un cours d'art avec un sentiment d'échec. Elle se sentait coincée partout. Ça faisait plus de 10 jours qu'elle avait abandonné le théâtre, pourtant elle ressentait encore la honte d'avoir failli. Rien n'arrivait à l'apaiser.

Sauf une personne…

Cathryn n'hésita pas un instant. Elle remonta vers la Haute-Ville pour aller voir Samuel, le seul qui pourrait lui changer les idées. Juste à songer à lui, elle se sentait déjà mieux. Avec lui, tout semblait simple et léger. Il était son printemps. Elle n'en laissait pourtant rien paraître. Un gars du cégep ne s'intéresserait jamais à elle. Même s'il pensait qu'elle était plus vieille.

Sur le chemin, elle récapitula ses mensonges. Elle espérait ne pas devoir en rajouter. Cathryn entra dans la boutique avec un grand sourire. Samuel était là ! Elle le trouvait toujours aussi mignon avec ses cheveux devant les yeux et ses joues rebondies cachant ses fossettes. Mauvaise nouvelle : il parlait avec Éric, qui prenait sans doute le relais. Cathryn arrivait trop tard.

Elle resta tout de même quelques minutes à feuilleter des magazines. Éric lui jetait des regards sévères. Comme elle n'apercevait plus Samuel, elle décida de s'en aller. Elle sortit de la boutique en maudissant son plan misérable.

Soudain, un cri la fit s'arrêter :

— Cat !

Elle se retourna pour voir Samuel courir vers elle. Il la rejoignit sous la porte Saint-Jean. Il avait mis sa casquette et zippé son manteau en courant. Trop heureuse, Cathryn sentait que son sourire était réellement fendu jusqu'à ses oreilles. Elle s'exclama, faussement surprise :

— Oh ! Salut, Sam !

— Tu m'as pas vu à la boutique ? demanda-t-il en reprenant son souffle.

— Non, mentit Cathryn.

— Je pensais pas que tu partirais si vite. Je ramassais mes affaires dans le *back-store*.

Près d'eux, un guitariste installa son étui à ses pieds et se mit à jouer une chanson quétaine. Samuel proposa qu'ils marchent ensemble vers l'arrêt d'autobus. Ils s'en allèrent en direction d'Honoré-Mercier. Cathryn marchait d'un pas lent. Elle voulait étirer le moment. C'était étrange et agréable d'être avec Samuel ailleurs qu'à la boutique.

Celui-ci se tourna vers elle. Il lui sourit, mais ses mains nerveuses le trahissaient :

— Ton amie était contente de son manga ?

— Je lui ai pas encore donné. C'est pour sa fête dans quelques semaines.

— Moi aussi, c'est bientôt ma fête. J'espère que tu m'achèteras pas une figurine de *Sailor Moon*.

Ils partirent à rire.

— Promis !

Cathryn avait envie de dire plein de choses, mais elle les oubliait au fur et à mesure. Aucune phrase intelligente ne lui venait à l'esprit. Elle se sentait tellement niaiseuse près de lui !

— As-tu fait ta demande au cégep ?

— Heu, oui...

Encore une fois, un mensonge.

—Tu veux aller où ?

—Limoilou.

—Cool ! On ira à la même école l'année prochaine !

Cathryn pointa un autobus.

—C'est le mien, lança-t-elle vite pour se sauver.

—OK ! À bientôt !

Cathryn aurait voulu continuer à discuter, mais en fin de compte, elle était soulagée de ne pas s'enfoncer plus dans son nouveau mensonge. Et celui-là était vraiment stupide. Impossible pour elle d'aller au cégep l'année prochaine ! Cathryn planifia annoncer plus tard qu'elle avait été acceptée ailleurs. Elle devrait trouver un autre cégep. Et le nom d'un programme. Elle se voyait déjà crouler sous les mensonges.

« Quelle idiote ! Quelle nouille… », pensa-t-elle.

Son téléphone sonna, la sortant de sa séance d'autodénigrement.

C'était Mathilde qui criait d'excitation :

—Je l'ai fait !

—Quoi ?

—Je l'ai invité.

—Ton mutant d'Internet ?

—OUI !

—T'as vu une autre photo ? Une sur laquelle on peut VRAIMENT le voir ?

—Non, pis je m'en fous !

—BEN LÀ ! Je trouve pas ça sécuritaire.

—Tu parles comme ton père.

—Tu l'as invité à faire quoi ?

—Un rendez-vous au cinéma. Il va venir avec un ami. Pis toi, tu viens avec moi !

—Est-ce que j'ai le choix ?

—*Nope !*

—J'ai pas envie d'y aller...

Mathilde la coupa :

—Qu'est-ce que t'as ces temps-ci ? D'habitude, t'es toujours partante pour des projets. On fait même plus nos brunchs.

—J'ai *full* récup en maths.

—T'es tout le temps en train d'étudier. Viens don', ça va te changer les idées.

—Ouain...

Cathryn espérait que cette histoire ne tournerait pas au désastre. Elle avait bien assez de sa mère qu'elle détestait et de son père qui ne la comprenait plus.

Elle promit huit fois à Mathilde qu'elle serait présente au rendez-vous avant de pouvoir couper la conversation. Aussitôt, elle se remit à penser à Sam. Elle décida de poursuivre sa nouvelle carrière de menteuse professionnelle. Elle ne pouvait plus décrocher.

Elle était trop amoureuse de lui.

# CHAPITRE 9

Le soir du rendez-vous au cinéma, Cathryn ressentait un stress maladif. Pourtant, c'était le rendez-vous amoureux de Mathilde, pas le sien ! Elle tentait de se raisonner, mais l'angoisse pétillait toujours dans son ventre.

Les deux meilleures amies étaient assises devant le cinéma sur l'avenue Cartier. Elles parlaient sans arrêt, imaginant l'apparence des gars et inventant tous les scénarios possibles pour la soirée. Plus tôt, elles étaient allées boire des cafés. Beaucoup trop de cafés ! Le trop-plein d'émotion mêlé à la caféine les rendait encore plus nerveuses. Les mâchoires crispées, elles chiquaient frénétiquement de la gomme pour tenter de se déstresser.

Mathilde présentait à Cathryn ses stratégies en cas d'urgence :

— Si je me mets à parler de Camomille…

— Ton chien ?

— Oui ! Ça veut dire : tout est cool !

— Alors, pas d'intervention.

— C'est ça !

— Pis si c'est le contraire ?

— Je vais parler de mon cousin Simon.

— C'est quoi le rapport ?

— Simon. Mon cousin pompier ! Si je parle de lui, c'est qu'il y a une urgence.

— Simon-pompier-incendie-urgence. OK !

— Simon, ça égale : le gars est con, c'est la panique.

— Je te sauve en entrant dans la conversation.

— C'est ça !

— Le chien, ça roule. Le pompier, ça foire.

Mathilde avait tout prévu. Outre ses codes, elle avait une apparence très soignée. Elle portait un élégant manteau par-dessus sa robe ajustée et elle avait remonté ses cheveux en chignon bombé comme les vedettes de tapis rouges. Cathryn, elle, n'avait rien changé à son allure. Elle portait un chandail de *Walking Dead* avec des zombies ensanglantés et un vieux *skinny jean* rapiécé. Le sacrifice qu'elle faisait pour accompagner Mathilde était bien assez grand ; pas besoin de transformer sa personnalité en plus.

Tout en discutant, les filles jetaient des regards de tous les côtés. C'était la longue fin de semaine de Pâques ; la rue était bondée ! Elles attendaient deux gars, mais sans savoir à quoi ils ressemblaient. Les photos envoyées par Tuxedo Mask étaient si floues ! Mathilde, elle, avait expédié de bonnes photos d'elle avec des descriptions claires. Ce serait donc les garçons qui les identifieraient en premier.

Justement, deux adolescents qui avaient l'air plus jeunes qu'elles marchaient dans leur direction. Cathryn reconnut tout de suite Tuxedo. Ce n'était finalement pas un extraterrestre ou un vieil obsédé. Même qu'il n'était pas si pire ! La photo ombragée avait caché son acné, mais sinon, il semblait charmant. Mathilde le vit aussi. Elle s'approcha de Cathryn pour lui souffler dans le visage :

—Ça va, mon haleine? lança-t-elle.

—*Full* mentholée, prête à frencher, répondit Cathryn.

Mathilde empoigna la main de son amie pour qu'elles se lèvent ensemble. Tuxedo, de son vrai nom James, était un ado ordinaire, de grandeur moyenne, avec les cheveux bruns. Il portait un jean à la mode et un manteau sport. Il avait un large sourire et un air sympathique qui donnait envie de le connaître. Rassurée, Cathryn pensa que pour une fois, Mathilde avait peut-être trouvé un prince charmant… Par contre, l'ami qui l'accompagnait correspondait aux images d'horreur imaginées par les filles. Il était si petit qu'il avait l'air d'un Hobbit à côté de Cathryn. Il avait les dents jaunes, le regard absent et il se tenait les bras croisés en signe de protestation. Visiblement, lui aussi avait été traîné de force au rendez-vous. James leur adressa la parole le premier:

—Mathilde?

Mathilde jouait la fille pleine d'assurance, mais le timbre de sa voix la trahit:

—Sa-salut.

Un long silence suivit. Un long malaise !

Cathryn tenta de sauver la situation :

— Moi, c'est Cathryn.

— Moi, c'est James, et lui, c'est Jean-David.

Elle serra la main de James, une poigne solide et sincère. Jean-David, lui, présenta une main froide et molle. Il semblait indisposé par le gigantisme de Cathryn. Ses yeux se trouvaient à la hauteur de sa poitrine et il ne pouvait s'empêcher de loucher vers ses seins. En temps normal, Cathryn aurait passé un commentaire, mais elle se retint pour ne pas gâcher la soirée de son amie.

James s'adressa à Mathilde :

— Ça fait drôle de se voir.

— Ouais, répondit Mathilde tout bas.

Cathryn se tourna vers son amie. Elle ne la reconnaissait pas ! Où était passé son entregent légendaire ? Cathryn devait-elle intervenir ? Mathilde était-elle déçue ou gênée ?

Cathryn plongea à nouveau pour combler le silence :

— Vous êtes déjà venus ici ?

— Ben oui ! s'exclama Jean-David. Tout le monde connaît le cinéma Cartier !

La soirée promettait d'être longue! Surtout que Mathilde semblait figée dans son état végétatif. Les quatre adolescents entrèrent alors dans le cinéma. Ils consultèrent l'horaire en haut des escaliers. Mathilde sortit enfin de sa torpeur. Grande passionnée de cinéma, elle fut égayée par la liste de films à l'affiche. Elle pointa la comédie à succès récompensée au réputé Festival du film de Sundance:

—Celui-là! Il paraît que c'est génial!

Jean-David la coupa sans tact:

—Niaiseux, tu veux dire!

—Ben non!

—C'est vrai que c'est un peu un film de fifilles, ajouta James pour appuyer son ami.

Il proposa un autre film:

—On pourrait aller voir ça à la place.

C'était *Le Chalet du massacre III: l'horreur sanglante,* dont l'affiche montrait la gueule ensanglantée d'un zombie dévorant une fille sexy. Cathryn et Mathilde adoraient les films d'horreur. Elles aimaient même regarder les vieilles productions aux effets spéciaux pourris, comme *Massacre au camp d'été* ou *Les Mémés cannibales.*

Elles avaient vu le premier volet de la série *Le Chalet du massacre*. C'était loin d'être épeurant. Plutôt stupide et drôle par moments. Mathilde souleva un problème :

—Le film est 16 ans et plus.

Cathryn passait pour plus vieille, et Mathilde aussi. Par contre, les garçons étaient minuscules ! Leur voix était en transformation et du duvet leur couvrait le menton. Jamais la caissière ne pourrait croire qu'ils avaient 16 ans !

James lança une idée :

—On a juste à prendre des billets pour un autre film. Pis on change de salle.

Cathryn, exaspérée, les supplia :

—Pourquoi on va pas juste voir autre chose ?

—Y a rien d'autre de bon, trancha Jean-David.

Ne voulant pas s'obstiner, les filles acceptèrent en haussant les épaules. James semblait satisfait. Il acheta du maïs soufflé avec extra beurre pour tout le monde.

Les quatre ados suivirent le plan prévu. Ils entrèrent dans la bonne salle, regardèrent les interminables annonces de voitures, puis James donna le signal. Cathryn suivit le groupe malgré les serrements dans son ventre. Elle n'avait pas envie de se faire prendre, mais elle n'osait pas abandonner son amie.

Dans l'autre salle, le générique du film d'horreur commençait. Cathryn insista pour s'asseoir près de Mathilde. Elle prétexta vouloir prendre la place du fond pour ne pas cacher les spectateurs derrière, laissant Jean-David s'asseoir à côté de James.

Le film débuta. James se mit à chuchoter à l'oreille de Mathilde. Celle-ci restait muette. Cathryn, qui n'entendait rien, se demandait comment interpréter le comportement de son amie.

Elle lui chuchota :

— Mathilde, comment va Camomille ?

James lui jeta un regard sévère :

— De quoi tu parles ?

Il semblait agacé d'être interrompu dans ses démarches de séduction. Cathryn l'ignora. Elle tenta des signes avec les yeux. Elle était prête à intervenir, mais Mathilde garda son air impénétrable.

—C'est le chien de Mathilde, expliqua Cathryn. Il était malade et...

Sentant qu'on ne l'écoutait plus, Cathryn cessa ses justifications. Mais elle n'abandonna pas pour autant:

—Tu sais pas qui j'ai vu hier? Ton cousin Simon!

James la dévisagea à nouveau. Cathryn soupira. Elle n'avait pas envie d'être là! Et à quoi servait-elle si Mathilde l'ignorait?

La première demi-heure du film passa. Cathryn suivait à peine, mais elle devinait tous les revirements. Elle sut à l'avance quel personnage mourrait en premier et comment succomberaient les autres.

Ses yeux fixaient l'écran, mais elle était ailleurs. Elle pensait à Samuel...

Soudain, Mathilde sursauta. Pourtant, il n'y avait pas eu d'apparition surprise dans le film. Elle se leva et dit très fort:

—Faut que j'aille aux toilettes!

Les gens derrière se plaignirent qu'elle cachait l'écran. Mathilde les ignora, ramassa son sac à main et entraîna Cathryn avec elle.

Les deux filles quittèrent la salle. Dès que la porte fut refermée, Cathryn demanda:

—Qu'est-ce qui se passe?

Mathilde restait muette. Elle emmena son amie jusqu'aux toilettes. Et enfin, elle se déchaîna:

—Je capote!

—Quoi? Accouche!

—C'EST UN GROS CON!

—Pour de vrai?

—Oui!

—Il semblait pas si pire que ça…

—Je te le dis! Il me parlait de chars pis de vidéoclips poches. Rien à voir avec le gars profond sur Internet.

Cathryn explosa de rire.

—Il est genre trop "ordinaire" pour toi?

Mathilde hocha la tête en riant. Elle qui avait fantasmé sur un être mystérieux et romantique… C'était une grande déception.

—Quand je l'ai vu, je pensais vraiment que c'était le bon!

Cathryn ne put s'empêcher de taquiner son amie:

—Je vais me retenir de te dire que je te l'avais dit!

Les deux amies rirent à en avoir les larmes aux yeux. Mathilde raconta:

—Il commençait à se coller sur moi. Pis là, il me flattait la main. Ah ! Pis il me chuchotait des trucs étranges.

—Il est sûrement pas méchant.

Mathilde fit non de la tête.

—Juste pas à mon goût. Est-ce que je suis un monstre de dire ça ?

—Pas besoin de t'excuser. Ça clique pas. Tant pis.

—J'aurais pas dû le rencontrer. Toute la magie est brisée.

Cathryn fit un bref câlin à Mathilde pour la consoler. Son amie aimait tellement croire en la magie !

—Mais on fait quoi, là ? demanda Cathryn.

Les deux filles discutaient dans les toilettes depuis un bon moment. Mathilde se mordilla la lèvre, réfléchissant, puis elle haussa les épaules :

—On s'en va ?

—On peut faire ça ?

—T'as une meilleure idée ?

—On le fait ?

—On le fait ! répéta Mathilde pour s'encourager.

N'ayant pas d'autre plan, elles mirent leurs capuchons et sortirent des toilettes comme des voleuses. Elles coururent en riant et traversèrent le hall sous le regard étonné des employés.

Leur sprint s'arrêta dehors au coin du boulevard René-Lévesque. Mathilde riait, à bout de souffle :

—C'est du sport, prendre la fuite !

—Tu vas lui écrire quelque chose, à James ?

—Je vais le texter tout de suite. Comme ça, il va pouvoir terminer son film pourri en paix !

Mathilde sortit son téléphone. Elle lui envoya un message, prétextant qu'une urgence les avait obligées à partir.

—Tu viens passer le reste de la soirée chez moi, Cat ?

Cathryn n'avait pas envie de s'éloigner jusqu'à Pointe-de-Sainte-Foy, où habitait Mathilde. Le trajet prenait des siècles !

—Une autre fois.

—Ah ! T'es plate.

—Je te ferai remarquer que je suis venue à ta *date*, même si c'était voué à l'échec.

—On se voit jamais. Pis il est super tôt!

—J'ai plein de choses à faire...

—C'est toujours pareil avec toi! la coupa Mathilde, impatiente.

Cathryn trouvait injuste de se faire traiter ainsi, surtout après qu'elle ait fait l'effort d'aller à cette *date* pourrie. Hérissée par le ton de reproche de son amie, elle s'emporta:

—Quand c'est toi qui rushes, faut vite te secourir. Mais si c'est moi qui ai pas le temps, ça vaut rien.

—Qu'est-ce que t'as de si urgent à faire? Les décors pour la pièce? Je vais t'aider!

—Non. J'ai lâché le théâtre.

Mathilde, surprise, se figea:

—Comment ça?

—J'ai pas envie d'en parler.

—Ben c'est ça!

À court d'arguments, Mathilde s'en alla. Elle traversa la rue et monta dans un Métrobus.

# CHAPITRE 10

Cathryn se sentait mal. Mathilde et elle se disputaient rarement. Surtout, elle savait que c'était sa faute. Elle n'avait pas voulu dire la vérité: elle s'en allait voir Samuel. Elle marcha vers BD Québec en se demandant si elle devrait parler de Samuel à sa meilleure amie. Peut-être...

Les rues du quartier Montcalm étaient très différentes les unes des autres. Dans certaines, il y avait des bars, mais en tournant un coin, on pouvait se retrouver dans de petites rues silencieuses bordées de vieux arbres. En avançant sur Grande Allée, Cathryn regretta de ne pas être restée sur le boulevard René-Lévesque. La rue était bondée. Un groupe d'universitaires enivrés la dépassa sur le trottoir. Dès qu'elle le put, Cathryn changea de rue. Elle se retrouva près du Grand Théâtre. Elle se hâtait, car la boutique allait bientôt fermer. Après le Parlement, elle continua à gauche, puis tourna à droite sur la rue Saint-Jean. Là aussi, il y avait foule. La belle température avait donné envie de sortir autant aux touristes qu'aux habitants du faubourg.

Cathryn arriva enfin au magasin. Un panneau annonçait « Fermé ». Elle tâta la poignée ; la porte n'était pas verrouillée. Elle entra.

À l'intérieur, Jean-François, client fidèle de l'endroit, payait une commande. C'était un grand collectionneur de bandes dessinées. À la différence de Cathryn, c'était un adulte, avec un emploi. Il pouvait donc acheter tout ce qu'il désirait ! Il avait même sur place un panier dans lequel les employés mettaient de côté les nouveaux numéros de ses séries préférées dès qu'ils sortaient. Cathryn rêvait du jour où elle obtiendrait elle aussi son panier !

Jean-François salua Samuel et partit avec son sac bien rempli. Cathryn était déçue d'arriver si tard. Elle n'avait pas envie de retourner chez elle. À la maison, elle ne pensait qu'à des choses stressantes : l'école, les travaux, ses parents...

—Salut, Cat !

Cathryn sursauta. Samuel s'excusa :

—Je voulais pas te faire peur.

—Ça va, répondit-elle un peu tristement. J'ai juste trop de trucs dans la tête.

—Comme quoi ?

—Petit accrochage avec mon amie. Pis *j'hais* ma mère...

Cathryn fut surprise d'avoir confié si facilement ses tourments. Et surtout d'avoir mentionné Patricia. Elle n'en avait parlé ni à son père ni à Mathilde, Lan ou Lucie. C'était différent avec Samuel. Elle ne sentait jamais de pression. Elle pouvait tout lui dire. Il se montra même compatissant :

—Problème de parents. Je comprends, dit-il.

Ne voulant tout de même pas continuer sur le sujet, Cathryn s'apprêta à quitter le magasin :

—Tu fermes. Je vais m'en aller...

—Tu peux rester si tu veux.

—Pour de vrai ?

—Oui, pendant que je termine la fermeture.

—Ça dérange pas ?

—Ben non.

Cathryn accepta avec joie. Elle commença aussitôt la lecture du nouveau tome de *Miss Marvel*.

—Mon boss te dirait que c'est pas une bibliothèque, ici ! la taquina Samuel.

—C'est toi qui m'as invitée à rester !

Cathryn continua de lire pour cacher sa fébrilité monstrueuse. Elle aurait aimé que Mathilde soit là pour lui fournir des Tic Tac mentholés ! Justement, elle reçut un message de sa meilleure amie qui s'excusait et lui demandait de l'appeler pour régler leur dispute. Cathryn se doutait qu'elle aurait à consoler Mathilde, vraiment déçue que son flirt en ligne n'ait pas tourné comme elle le pensait. Cathryn savait déjà ce qu'elle devrait lui répéter: « Un jour, c'est certain, tu trouveras un gars cultivé, gentil, mature… »

Un gars comme Samuel !

Cathryn s'excusa par texto et proposa à son amie qu'elles se parlent une autre fois. Elle lui mentit en lui écrivant qu'elle arrivait chez elle et qu'elle allait se coucher.

Un autre mensonge, une autre pierre noire dans son cœur.

Samuel la tira à nouveau de ses pensées:

—T'es encore dans la lune?

Cathryn sourit en replaçant le comics sur l'étagère:

—Je repensais au fiasco de ce soir.

—Qu'est-ce qui s'est passé?

Cathryn rejoignit Samuel et s'accouda au comptoir pour lui en faire le récit.

—Tu devineras jamais, commença-t-elle.

Il écoutait tout en comptant le contenu de la caisse.

—T'as rencontré Hulk sur Grande Allée?

—Presque! pouffa Cathryn. C'était plutôt une gang de colons!

Elle reprit son histoire:

—J'ai accompagné une amie à un rendez-vous amoureux. Genre *double date*.

—Pour de vrai?

Samuel interrompit son travail. Son air amusé avait disparu. Il semblait inquiet et impatient de connaître la suite.

—J'étais juste là pour rassurer mon amie. Elle voyait pour la première fois un gars rencontré sur le Net.

—Ouf!

—Je le sais! Il a amené un ami, vraiment un gros con!

Cathryn raconta l'aventure en détail: la rencontre, le choix du film et surtout, la fuite effrénée. Samuel réagissait au moindre élément et riait à toutes ses blagues. Son rire faisait battre le cœur de Cathryn.

—C'est quand même poche pour les gars restés au cinéma, conclut-elle.

—Le film était bon, au moins?

—Bof. J'ai pas trop suivi. J'avais la tête ailleurs.

—T'avais la tête où?

Cathryn se figea comme si elle venait de se faire prendre. Samuel la scrutait intensément. Déstabilisée, elle répondit par un sourire niais et fit semblant de s'intéresser à une figurine de M. Fantastique.

La tête où? Quelle question! Elle n'avait que Samuel dans la tête.

Celui-ci partit dans l'arrière-boutique faire le dépôt de l'argent récolté dans la journée et revint quelques minutes plus tard avec son manteau. C'était le temps de s'en aller. Samuel laissa passer Cathryn avant d'activer le système d'alarme.

Dehors, l'air était doux. La lumière des lampadaires créait une ambiance familière de couleurs d'automne. Un paysage calme. Pourtant, dans la tête de Cathryn, c'était la tempête du siècle! Elle voulait parler, combler le vide, raconter des histoires drôles, mais rien d'intéressant ne lui venait à l'esprit. Ils marchèrent donc en silence.

Quand ils arrivèrent aux arrêts d'autobus, Samuel posa un curieux regard sur elle. Il hésitait, comme s'il cherchait ses mots. Cathryn n'avait jamais autant rêvé d'être une X-Men et de posséder les pouvoirs télépathiques du professeur Charles Xavier. Elle pouvait néanmoins sentir la nervosité de Samuel. Il se frottait les mains, comme chaque fois qu'il semblait tendu.

Il fit enfin un pas vers elle et réussit à balbutier:

—Cat… Je sais qu'on se connaît pas depuis longtemps, mais… Tu viens souvent au magasin pis c'est super cool… Je me disais… Peut-être que… Si tu veux, on pourrait sortir ensemble un soir?

Cathryn ne savait plus où elle était. Dans un de ses rêves? C'était irréel!

Il l'invitait à sortir? Elle? Cathryn avec un Y et pas de E, la menteuse professionnelle?

Tous ses mensonges lui revinrent en plein visage. Comment pourrait-elle accepter? Ce serait si malhonnête!

D'un autre côté, Cathryn se dit qu'à part son âge, elle n'avait pas changé qui elle était dans le but de lui plaire…

Samuel commençait à s'agiter. Il semblait mal à l'aise, prêt à recevoir un refus. Cathryn, touchée par cette vulnérabilité, ne put se résoudre à lui dire non:

—Oui, c'est certain que j'aimerais ça.

Le visage de Samuel se détendit. Son sourire revint. Il tendit son téléphone à Cathryn pour qu'elle y enregistre son numéro. Ce qu'elle fit aussitôt.

—J'ai pas encore mon horaire de la semaine prochaine. Je te téléphone pour confirmer une heure, lui promit-il.

Samuel lui effleura la main en reprenant son téléphone. Cathryn pensait halluciner.

Pourtant, non : c'était voulu. Elle en frissonna.

Le feu de signalisation de l'avenue Honoré-Mercier changea, invitant les piétons à traverser dans toutes les directions. Samuel s'élança aussitôt.

— À bientôt ! lui lança-t-il.

Cathryn, elle, monta dans son autobus. Elle se sentait légère, vivante, heureuse. Elle pensait à Samuel : à ses sourires, à ses mains, à ses yeux. Elle imprima cet instant magique dans son cerveau. Et toute la nuit, elle rêva à lui.

# CHAPITRE 11

Samuel téléphona à Cathryn quatre jours plus tard. Il lui laissa un message dans lequel il lui donnait rendez-vous le samedi suivant au Cochon dingue, un restaurant du quartier du Petit Champlain.

Cathryn capotait ! Sa joie équivalait à son angoisse.

Comment survivre à l'attente ? Elle avait le temps de faire mille crises d'anxiété d'ici là. Près d'une semaine à se demander sans cesse quoi porter, quoi dire, comment agir. Et à douter du fait que ça lui arrivait vraiment à elle ! Pour s'assurer qu'elle ne rêvait pas, elle écoutait en boucle le message de Samuel. Elle ressentait chaque fois une étincelle d'excitation en entendant ses derniers mots: « J'ai hâte de te voir! »

Jubilation totale.

Elle le faisait rejouer. Encore et encore. Elle se promit de garder le message pour toujours.

À l'école, Cathryn ne put cacher la vérité à Lucie et Lan. Elle leur confia tout! En fait, pas exactement tout. Elle leur raconta la rencontre de Samuel à la boutique, les soirées passées en sa compagnie et l'invitation au restaurant. Elle ne révéla pas qu'il pensait qu'elle avait presque 18 ans. Un détail qu'elle garda douloureusement pour elle.

Ses amies furent à la fois admiratives et envieuses. Alors qu'elles gloussaient en écoutant le message sur sa boîte vocale, madame LeBlanc s'approcha de leur table. Elle coupa vite leur enthousiasme avec son air négatif:

—Cathryn? J'aimerais te parler!

Cathryn se leva pour suivre la coordonnatrice des activités socioculturelles. Elle se doutait bien du sujet de cette conversation impromptue:

— J'ai vu l'avancement des décors. C'est franchement décevant. Tu pourrais m'expliquer ce qui se passe ?

— J'ai laissé ma place à Marek.

— Pourquoi ?

— J'ai plus le temps de faire les décors.

— Je savais que c'était une mauvaise idée de confier cette tâche à une élève de troisième secondaire !

Cathryn se retint de répliquer. Après tout, madame LeBlanc avait peut-être raison : elle se sentait incapable de terminer un projet de cette envergure.

Madame LeBlanc soupira et lança avant de partir :

— Et en plus, Léa vient de se casser une jambe en planche à roulettes ! Je pense que la pièce n'aura pas lieu. Quelle honte pour l'école !

Cette nouvelle attrista Cathryn. Tout le reste de la journée, elle remarqua les mines déconfites des membres de la troupe. Elle vit Léa se promener en béquilles, mais l'évita. Entre deux périodes, cependant, Bastien et Carolanne, entourés de leur club d'admirateurs, réussirent à l'intercepter :

—Il y a plus de pièce à cause de toi, lui dit Bastien en lui bloquant le chemin.

—Pas vrai. Léa est en béquilles, au cas où t'aurais pas remarqué.

—Lâcheuse ! cria Carolanne.

Cathryn haussa les épaules et se sauva dans le local de sciences. Elle prit sa place dans le fond de la classe et maugréa en ouvrant ses cahiers. Se faire traiter ainsi l'enrageait. Pire encore, elle détestait qu'on gâche son bonheur. Elle ne voulait plus penser à rien, sauf à son beau Samuel !

Deux jours avant son rendez-vous, Cathryn invita Lan et Lucie chez elle pour l'aider à se préparer. Elle aurait pu faire appel à Mathilde ; elles s'étaient réconciliées au téléphone. Et après tout, c'était la spécialiste des gars ! Mais Cathryn n'osait pas lui révéler l'existence de Samuel. Elle avait peur que l'enthousiasme de sa meilleure amie ne prenne toute la place.

Lan et Lucie étaient plus discrètes. Et elles étaient d'un réel soutien. Elles se révélèrent même d'excellentes ressources, malgré leur inexpérience en histoires sentimentales.

Lan lui enseigna des techniques de méditation pour l'aider à relaxer. Luzerne, elle, lui donna de judicieux conseils. Elle avait par exemple dressé une liste d'aliments à éviter pour réduire les risques de mauvaise haleine, de rots ou de flatulences. Elle avait aussi déniché un répertoire de questions pour faire la conversation : Quel est ton film préféré et pourquoi ? Elle est chouette, ta famille ? Qui est ton meilleur ami ? Qui est ton idole ? Quel est ton objectif dans la vie ?

Le problème le plus épineux demeurait entier : quoi porter ? Fréquentant un collège privé, Cathryn n'avait pas beaucoup de vêtements outre ses uniformes. Seuls les enfants de parents riches, comme Lucie, possédaient une double garde-robe bien fournie. Malheureusement, les deux amies n'étaient pas de la même taille, et Cathryn ne pouvait rien lui emprunter.

Les trois filles cherchèrent à travers les jeans délavés, les jupes trop courtes et les chandails de Wonder Woman. Cathryn n'avait qu'une seule robe, achetée pour le mariage de sa tante. Elle était émeraude et décorée de dentelle. C'était beaucoup trop chic ! Samuel l'emmenait dans un bon resto, mais tout de même pas au château Frontenac !

Avec l'aide de ses amies, Cathryn opta finalement pour une jupe violette trouvée dans sa boîte de vêtements d'été et un chandail noir ajusté. Lucie lui prêta des anneaux dorés pour remplacer ses boucles d'oreilles en forme de tête de mort. Elles visionnèrent ensuite quelques vidéos en ligne pour apprendre comment se maquiller et comment coiffer des cheveux courts.

Le lendemain, Cathryn reproduisit le look prévu. Elle se sentait bien, mais si différente à la fois. Elle était déjà sortie avec des garçons, mais toujours en groupe ou avec Mathilde. Rien à voir avec un tête-à-tête au restaurant. Elle espérait tellement passer un bon moment !

Alors qu'elle marchait dans le Vieux-Québec, elle comprit l'origine de l'expression « avoir les jambes molles comme de la guenille ». C'était exactement ce qu'elle ressentait. Elle descendit la côte de la Montagne à petits pas incertains, en faisant attention de ne pas tomber et rouler jusqu'au fleuve ! Elle atteignit enfin l'escalier vers le Petit Champlain. Elle marcha tranquillement, se souvenant d'un des conseils de Lucie : ne pas arriver trop tôt ! Sinon, elle serait la dinde qui attendrait toute seule au Cochon dingue.

Elle fit donc un tour pour passer le temps. Elle se promena devant les boutiques pour touristes. Ceintures fléchées, sirop d'érable, mocassins et autres babioles à fleurs de lys décoraient les vitrines. À force de marcher, elle commença à transpirer. Cathryn craignit d'avoir de gros cercles mouillés sous les aisselles et décida de faire cesser cette attente infernale en entrant dans le restaurant.

Une ambiance agréable y régnait. Le décor champêtre se composait de chaises en bois et de nappes à carreaux. Il y avait un foyer au fond de la salle à manger. De petites chandelles orangées étaient allumées sur toutes les tables. Bref, un cachet rustique, mais surtout chaleureux.

L'hôtesse leva les yeux de son grand livre pour fixer Cathryn. Celle-ci hésita :

— Je viens rejoindre quelqu'un. Samuel…

— Vous êtes la première arrivée, répondit l'hôtesse.

Horrifiée à l'idée d'attendre seule, Cathryn préféra faire demi-tour. Elle se retourna si vite qu'elle ne vit pas que quelqu'un approchait derrière elle. Elle se retrouva nez à nez avec Samuel ! Son ventre se serra.

Gênée par une telle proximité, Cathryn recula. Elle sentait qu'elle souriait bêtement. Lui paraissait incertain :

— Tu pars ?

— Je voulais t'attendre dehors.

Il sembla soulagé de sa réponse, comme s'il avait cru qu'elle s'en allait. Il portait un jean propre et un veston noir par-dessus une chemise bleue dont la couleur faisait ressortir ses yeux. Cathryn trouva étrange de le voir ainsi vêtu. Il avait l'air encore plus vieux.

Ils se jaugeaient sans rien dire depuis un moment quand l'hôtesse interrompit leur embarras :

— Êtes-vous prêts à aller à votre table ?

Il lui fit un geste pour l'inviter à passer devant. Elle suivit l'hôtesse à travers le restaurant, sentant le regard de Samuel sur elle. Il n'y avait pas trop de monde. Leur table était en retrait, dans un coin près du mur de briques. Ils s'installèrent alors que l'hôtesse leur récitait le menu du jour. Elle termina en disant :

—Désirez-vous des apéros pour commencer ?

Des apéros ? C'était le genre de truc de son père et de Manon, qui commandaient toujours des cocktails au restaurant. Cathryn trouvait risqué de tenter un verre d'alcool. Elle fit non de la tête ; Samuel aussi. La serveuse leur donna des menus et repartit. Cathryn plongea son visage dans le sien pour cacher le rouge qui montait à ses joues. Elle n'avait jamais été si gênée !

Salade, soupe, porc, tartiflette ou gratin ? Il y avait même des pelures de pommes de terre avec de la trempette César... Oh non ! Alerte à l'ail ! Les desserts avaient l'air fabuleux, surtout le gâteau au sucre à la crème.

—Prends ce que tu veux, lui dit Samuel. Je t'invite.

La serveuse vint noter leur commande et récupéra les menus. Cathryn se sentit démunie sans menu derrière lequel se cacher. Elle but de grandes gorgées d'eau et mangea du pain pour éviter de parler. Elle se remémora la liste de sujets de conversation préparée par Lucie, mais rien ne s'intégrait au contexte. Malgré ses efforts pour tout prévoir, comme toujours, la réalité s'arrangeait pour la déstabiliser.

Elle osa lever les yeux pour examiner Samuel. Lui non plus ne semblait pas dans son assiette. Il fixait son verre, les mains cachées dans les poches.

Anxieuse, Cathryn croisa les jambes. Catastrophe ! Ses membres de géante heurtèrent la table. Les ustensiles tombèrent par terre dans un vacarme ! Clients et employés la dévisagèrent. Par chance, Samuel avait attrapé les verres d'eau, et leur serveuse arriva pour tout ramasser et placer de nouveaux couverts.

— Désolée. Désolée ! Désolée…

Cathryn s'excusa 30 fois avant de se rasseoir. Elle plia ses longues jambes sur le côté et n'osa plus bouger.

Le silence revint. Cathryn n'en pouvait plus ! Il ne restait qu'une solution : discuter de bandes dessinées. Elle se mit à déballer tout ce qui lui passait par la tête :

— Tu as lu *Scott Pilgrim* ? Moi, j'ai adoré ça. Je pense que c'est la première série qui m'a fait autant aimer la BD... Ben non ! Avant, il y a eu les *Garfield* pis les *Astérix*... C'est lequel ton *Astérix* préféré ? Moi, c'est *Le Tour de Gaule d'Astérix*. Tu sais, quand ils ramassent les spécialités de toutes les régions ? C'est dans celui-là qu'Idéfix apparaît pour la première fois. Tu le savais ?

Alors que Cathryn reprenait son souffle, Samuel se mit à rire.

— Quoi ? s'exclama-t-elle avec horreur.

Avait-elle dit une imbécillité ? Avait-elle quelque chose entre les dents ? Était-elle victime d'un coup monté et bientôt, on lui révélerait les caméras cachées ?

— J'ai jamais entendu quelqu'un parler aussi vite ! avoua Samuel en souriant.

Rassurée, Cathryn se mit elle aussi à rire :

— Ça m'arrive, des fois !

La serveuse apporta leurs plats. C'était succulent, et ils mangeaient avec appétit.

Cathryn laissa Samuel parler. C'était à son tour de dévoiler quels étaient ses auteurs préférés :

— Je lis des vieux trucs, des classiques. Alan Moore. J'adore Neil Gaiman.

Cathryn était aux anges. Elle était curieuse de découvrir les suggestions de lecture de Samuel. Envoûtée par sa voix, elle se calma et finit par apprécier le moment. Les mots cessèrent de se bousculer dans sa tête. Elle put manger sans renverser la table ni réciter un monologue en accéléré.

Le temps passa trop vite. À la fin de leur repas, Samuel lui demanda :

— Tu veux un dessert ?

Animé par la discussion et la chaleur, il avait les joues rouges. Lui aussi semblait passer une belle soirée. Cathryn s'en réjouit.

— Ç'a l'air super bon, mais je suis pleine.

— On peut en partager un !

Samuel commanda un morceau de tarte. Ils le savourèrent lentement, pour étirer le temps. La serveuse débarrassa la table aussitôt qu'ils posèrent leurs fourchettes. Pendant un instant, Cathryn la détesta.

Elle ne voulait pas que la soirée se termine aussi tôt !

Samuel paya, et Cathryn en profita pour aller aux toilettes. Son stress revint. Et maintenant ? Qu'allait-il se passer ? Ils s'étaient vus, ils avaient mangé…

Cathryn s'était demandé pendant des heures quoi porter, quand arriver, quoi dire… Mais dans son plan, elle avait oublié ce qui se passerait APRÈS le repas ! Elle se cogna la tête avec la main en se traitant d'idiote.

Samuel l'attendait à la porte. Il l'entraîna dehors :

—On pourrait marcher. Ça ferait du bien après autant de bouffe !

Le crépuscule disparaissait vers Lévis. Il faisait frais et une brise caressait leurs joues. Ils admirèrent un instant le joli parc devant le théâtre. Puis, ils tournèrent à gauche sur le boulevard Champlain. Des touristes descendaient de bateaux de croisière pour explorer la nuit du Vieux-Québec. Ils déambulaient dans les rues pavées, scrutant la façade des boutiques et examinant le menu des restaurants.

Sans prévenir, Samuel prit la main de Cathryn. Enchantée, elle se laissa faire. Ils suivirent la rue allant vers le fleuve.

Cathryn connaissait bien le quartier, mais ce soir-là, tout semblait différent. Pour la première fois, elle saisissait toute la magie de l'endroit: les édifices restaurés, le fleuve, la muraille et la vue sur la rive sud. En bas de la côte, ils arrivèrent à la rue Dalhousie, juste à côté du traversier. Des milliers de points scintillaient au loin. Ils longèrent le bord de l'eau, main dans la main, toujours plus près l'un de l'autre. Ils coupèrent dans le stationnement situé devant le Musée de la civilisation, à droite dans la rue du Marché-Finlay. Ils s'arrêtèrent à la clôture, sous la lumière d'un lampadaire. Cathryn s'avança vers lui, attirée comme un aimant. Il avait les mains hors des poches et ne semblait pas du tout nerveux.

—C'est tellement simple, être avec toi, lui dit-il.

Cathryn se sentait engourdie de la tête aux pieds. Samuel approcha son visage et posa ses lèvres sur les siennes. Doucement.

Puis, il recula, comme pour s'assurer qu'elle était d'accord. En guise de réponse, elle l'embrassa à son tour.

Longuement. Passionnément !

Ce n'était en rien comparable au baiser furtif qu'elle avait échangé avec Liam à la fête de Noël en première secondaire. Pas besoin de se plier les genoux ou de se tordre le cou pour coller ses lèvres. Pas de malaise ni de goût étrange. C'était doux, enivrant et chaud, malgré le froid.

Cathryn et Samuel poursuivirent leur promenade encore une heure, prenant plusieurs pauses pour échanger de longs baisers. Ils se quittèrent à l'arrêt d'autobus, en se promettant de se revoir bientôt.

# CHAPITRE 12

Cathryn était amoureuse, et si contente de l'être ! Difficile de cacher son bonheur dans ces circonstances. Elle flottait sur un nuage, revivant sans cesse son rendez-vous dans sa tête. Plus aucun souci ne l'atteignait. Elle dissimula tout de même la raison de sa bonne humeur à son père et à Manon.

Par chance, deux jours plus tard, le lundi suivant son rendez-vous romantique, Cathryn put tout raconter à Lan et à Lucie. Les trois filles analysèrent sa soirée pendant tout le repas.

Lan et Lucie enviaient Cathryn :

— Wow ! C'est tellement une soirée parfaite ! s'exclama Lucie.

—Raconte encore quand il t'a embrassée, insista Lan.

—C'est le meilleur bout! renchérit Lucie.

Cathryn s'exécuta. Elle fit à nouveau le récit de leur premier baiser sur le bord du fleuve. Lan demanda ensuite:

—Tu le revois quand?

—On s'est revus hier...

Cette fois, Cathryn garda les détails pour elle. La veille, Samuel l'avait attirée dans l'arrière-boutique pour l'embrasser longuement alors qu'il y avait des clients de l'autre côté!

Elle avait envie de crier son bonheur sur tous les toits. Les jours, les heures et les minutes sans Samuel lui paraissaient interminables! Elle n'avait qu'une seule chose en tête: arriver à la fin de semaine pour le revoir.

Plus tard ce jour-là, Mathilde téléphona à Cathryn alors qu'elle sortait de l'école:

—Poulette ! On se voit samedi ?

Cathryn hésita. Samedi, elle avait rendez-vous avec Samuel. Et pas question de le dire à Mathilde. Son amie lui reprocherait de ne pas lui avoir parlé plus tôt de son histoire d'amour...

—Je peux pas. J'ai promis à mon père de l'aider à la maison

—C'est poche. On se voit jamais. Tu m'as même pas raconté pourquoi tu as lâché le théâtre !

—Ça me tentait plus, c'est tout.

—Toi, abandonner quelque chose ? C'est tellement pas ton genre !

—Je suis pressée, là ! s'exclama Cathryn pour changer de sujet. Tu voulais me dire autre chose ?

—Hum... Ouais ! Réserve tout de suite ta première fin de semaine de mai. Mes parents ont accepté que je fasse un party dans le sous-sol pour ma fête. Y va y avoir plein de monde cool de mon école. Faut que tu viennes !

—Je sais pas trop, hésita Cathryn. Je vais connaître personne.

—C'est certain que tu les connais pas, mes autres amis. Tu viens jamais aux trucs que j'organise avec eux.

Cathryn, offusquée, ne sut pas quoi répondre. Petit silence froid.

Mathilde se reprit :

—Je m'excuse, Cat. C'est juste que c'est ma fête. J'aimerais ça que tu sois là.

Cathryn n'avait jamais rencontré les amis d'école de Mathilde. Elle savait qu'ils étaient du type « fins de semaine de ski » en hiver et « journées à la plage » en été. Elle ne partageait pas leurs goûts en matière de loisirs. Elle avait conclu qu'elle était trop différente d'eux, donc qu'ils étaient incompatibles.

—Je t'ai pas vue depuis des siècles, insista Mathilde.

—OK ! Je vais venir à ton party.

—*Yes !* T'es la meilleure des meilleures amies !

Cathryn raccrocha en soupirant. Mathilde était si insistante !

Le samedi suivant, il faisait chaud comme en été. Cathryn portait sa plus belle jupe – pas celle du collège – et une veste en jean par-dessus son t-shirt. Elle transportait son sac d'école rempli de livres. Elle avait de la récupération en fin d'après-midi. Malgré tout, elle était de bonne humeur. Avant la torture de l'étude supplémentaire, elle avait rendez-vous avec Samuel dans le quartier Montcalm.

Il l'attendait au coin de l'avenue Cartier et de la Grande Allée. Cathryn le vit au loin, assis sur un banc. Elle eut envie de courir vers lui. Elle se sentait poussée par une force invisible. Elle garda juste assez les pieds sur terre pour ne pas traverser au feu rouge.

Enfin, elle le rejoignit :

— T'attends depuis longtemps ?

— Pas du tout.

Il l'embrassa doucement.

— On va marcher sur les plaines ?

Main dans la main, ils se promenèrent dans l'immense parc. Le ciel dégagé était extraordinaire. Ils firent le tour des sentiers, admirant le fleuve et s'arrêtant à la tour Martello 1. Encore une fois, Cathryn redécouvrait sa ville. Se balader avec Samuel lui faisait tout apprécier: les arbres, le vent et même les joggeurs à la mode qui arpentaient les chemins.

La grande chaleur donna une idée à Cathryn:

—On pourrait aller manger une crème glacée!

—Tellement!

Le couple retourna rue Cartier, où il y avait une crèmerie fameuse. Malheureusement, ils n'étaient pas les seuls à avoir envie d'un dessert rafraîchissant en ce premier beau jour de printemps! Ils se firent même bousculer par une femme impatiente! Cathryn ronchonna:

—Ayoye! Y a du monde intense!

Samuel ne semblait pas en être dérangé. Il laissa un espace devant lui et la femme agitée passa.

—Bof, moi, les gens qui s'énervent pour pas grand-chose...

Cathryn découvrait Samuel sous un nouveau jour. En plus d'être drôle, mignon et grand, il était poli et calme. Elle aimait son naturel simple et plaisant. Elle se trouvait chanceuse d'être en sa compagnie !

Ils analysèrent les options de crème glacée – il y en avait tellement ! – et se mirent d'accord sur des parfums différents à partager. Cathryn choisit la crème glacée à la vanille trempée dans un coulis de chocolat onctueux. Elle avait de grands yeux d'enfant ravi lorsqu'on lui tendit son cornet. Elle s'apprêtait à prendre une première bouchée quand soudain, la fichue dame pressée ressurgit. Cette fois, dans son empressement, elle accrocha le bras de Cathryn et...

Elle renversa sa glace !

— EILLE !

Trop tard. La femme était partie. Cathryn était hébétée : elle était couverte de crème glacée et de chocolat ! Samuel accourut avec son cornet trempé dans le caramel.

— Merde, t'en as partout...

Il lui tendit une minuscule serviette de table avec laquelle il semblait grotesque qu'elle puisse nettoyer le désastre. Ils se mirent à rire en allant s'asseoir à une table.

Cathryn enleva la majorité de la crème glacée, mais tous ses vêtements restaient tachés.

— On pourrait aller chez moi pour que tu te nettoies. J'habite pas loin, proposa Samuel.

Cathryn accepta son offre. Elle ne voulait pas que sa journée soit gâchée par une vieille frustrée.

Ils partagèrent le cornet non écroulé, puis allèrent au condo où habitaient Samuel et sa famille. Il n'y avait personne. Ses parents étaient à l'entraînement de gymnastique de sa sœur.

Samuel lui montra sa chambre, qui était au fond du logement. C'était petit, mais très joli. Une fenêtre donnait sur un jardin intérieur. Un mur était couvert d'une carte du monde gigantesque. Sur les autres, il y avait des affiches de personnages de bande dessinée et dans un coin, une télévision et une console de jeux. Cathryn trouvait Samuel très chanceux. Jamais son père ne lui permettrait d'avoir une console dans sa chambre !

Samuel ouvrit un tiroir et y prit un chandail :

—Tiens. Si tu veux te changer.

Cathryn sourit en voyant le t-shirt à l'effigie de Punisher, un personnage de bande dessinée. Elle se rendit à la salle de bain, où elle retira son chandail ravagé par la crème glacée, le nettoya, puis enfila celui de Samuel. Heureusement, il n'était pas trop long – un avantage certain d'être presque aussi grande que son copain !

Cathryn sentait des papillons s'agiter dans son ventre. C'était étrange d'être chez Samuel. Il lui ouvrait la porte de son espace intime. Il était franc, lui.

Peut-être était-il temps de lui dire la vérité ?

Cathryn entra dans la chambre de Samuel alors qu'il inspectait quelque chose... Son sac ! Cathryn s'élança pour l'attraper.

Surpris, Samuel recula :

—Je voulais pas fouiller. J'ai juste vu une BD dépasser. Je voulais voir c'était quoi...

Cathryn se sentait si idiote ! Elle avait voulu éviter qu'il voie son livre d'école à l'intérieur : mathématiques de troisième secondaire ! Par chance, Samuel ne sembla pas trouver son comportement étrange.

« Tant mieux ! », pensa-t-elle.

— Ça te fait bien, dit alors Samuel en pointant son chandail.

Cathryn prit place près de lui sur le lit :

— Il est super beau !

— Je te le donne, si tu veux.

— Ben là !

— Il te va beaucoup mieux qu'à moi.

Samuel lui fit un clin d'œil qui la fit rougir. Elle l'embrassa pour le remercier de son cadeau. Le baiser se prolongea, et Samuel se mit à l'embrasser avec fougue. Elle laissa s'éclipser les questions torturantes de mensonge et de vérité. Elle ne pensait qu'au bonheur de l'instant présent. Leurs baisers étaient plus langoureux, plus passionnés que d'habitude. Cathryn se pencha légèrement vers la droite, puis se retrouva couchée sous Samuel. Elle se laissait bercer par la douceur du moment.

Soudain, Samuel recula et la regarda dans les yeux :

— Je… Est-ce que…

Cathryn se releva aussitôt. Voulait-elle vraiment aller plus loin ou était-ce une manière d'oublier ses mensonges ?

Ils restèrent quelques secondes en silence. Gêné, Samuel se tortillait les doigts. Il osa enfin dire :

— On est pas obligés d'aller plus loin.

Cathryn acquiesça. Comme il était tard, elle en profita pour ramasser son sac et son chandail sale. Samuel insista pour la raccompagner jusqu'à l'autobus.

Tout semblait parfait.

À part tous les mensonges qui érigeaient un mur de plus en plus haut entre Samuel et elle.

# CHAPITRE 13

Cathryn fréquentait maintenant Samuel depuis plus de trois semaines. Ils avaient déjà leur routine d'appels, de textos et de rendez-vous de fin de semaine. Cathryn adorait pouvoir le contacter quand elle voulait, que ce soit pour se plaindre de ses cours ou pour lui annoncer qu'elle terminait de lire un nouveau volume de la série *Sandman*.

Ce soir-là, elle ne pouvait pas le voir: elle avait une présentation orale à préparer avec Lan et Lucie. Leur rencontre avait lieu au restaurant des parents de Lan. Elles travaillaient tout en se délectant de soupe pho – ou soupe tonkinoise – et de thé.

Lucie prenait soin de mettre de côté les serviettes de table en papier non utilisées. Elle demanda à Lan :

— Tes parents ont jamais pensé aux serviettes en tissu ? Ça serait tellement plus écologique !

— J'en suis encore à leur expliquer le recyclage ! répondit Lan.

Alors qu'elle soupirait de désespoir, quelqu'un entra dans le restaurant.

Cathryn eut un choc. C'était Samuel !

Vite comme le superhéros Flash, elle attrapa des menus et un tablier qui traînait. Ses deux amies la regardèrent avec surprise. Elles se tournèrent pour voir qui approchait. Cathryn, elle, était déjà rendue au passe-plat de la cuisine. Elle y prit des assiettes prêtes à servir, comme si elle travaillait chez Kim Lan.

Samuel l'aperçut et alla directement la voir :

— Hé ! Cat !

Cathryn se retourna et arbora un air surpris des plus convaincants. Elle aurait pu passer les auditions d'actrice pour la pièce du collège, car en plus d'être devenue menteuse, elle se découvrait un talent pour le jeu.

— Qu'est-ce que tu fais ici ?

— Je passais dans le coin.

Samuel lui donna un baiser sur la joue :

— Tu travailles jusqu'à quelle heure ?

Cathryn jeta un regard par-dessus l'épaule de Samuel. Elle vit ses deux amies qui la dévisageaient. La mère de Lan sortit de la cuisine. Elle remarqua que Cathryn tenait des assiettes destinées aux clients et lança rageusement une phrase en vietnamien, faisant sursauter Samuel.

Cathryn le rassura :

— Elle est juste fâchée parce qu'il y a des jeunes qui monopolisent les tables du resto…, dit-elle en désignant ses amies d'un signe de tête.

— Tu parles vietnamien ? lui demanda Samuel.

— Faut que je travaille, là. Tu peux pas rester, se contenta-t-elle de répondre.

— Téléphone-moi plus tard.

Samuel s'apprêtait à partir, mais il revint sur ses pas :

—Juste te dire que je fais une soirée pour ma fête. Samedi. On va dans un bar sur la rue Saint-Jean.

—Je peux pas venir.

—J'aimerais vraiment ça que tu viennes. Tu pourrais rencontrer mes amis.

À mesure que Samuel parlait, Cathryn sentait ses tripes se serrer.

—C'est pas que je veux pas. C'est que je PEUX pas!

—Tu vas pouvoir rentrer. T'as presque 18 pis…

—Non! coupa Cathryn. C'est pas ça!

Elle avait presque hurlé. Des clients agacés les observaient. Quant à la mère de Lan, elle continuait de la fixer de travers.

—Pas besoin de crier! dit Samuel, offusqué.

Il lui tourna le dos et partit. Cathryn remit les assiettes sur le passe-plat. La mère de Lan les prit en lui jetant un regard noir. Déconfite, Cathryn retourna auprès de ses amies. Lan avait la bouche ouverte d'admiration. Lucie regardait encore vers la porte, comme si elle avait voulu continuer d'admirer Samuel.

— C'est lui, Samuel ? demanda Lan, troublée.

— Wow ! ajouta Lucie. Tu mentais pas quand tu disais qu'il était beau…

— Et grand ! renchérit Lan.

Cathryn souriait, heureuse que ses amies aient vu son copain. Bien sûr, elle aurait préféré pouvoir les lui présenter, mais…

— Tu…, commença Lucie.

— Il pense…, amorça Lan.

Elles hésitaient à continuer

Cathryn s'exclama brutalement :

— Ben quoi ?

— Il pense que tu travailles ici ? demanda Lan avec précaution.

— Pis que t'as 17 ans ? souffla Lucie.

— Ouain, murmura Cathryn.

— Pourquoi tu lui as dit ça ? s'offusqua Lan.

— C'est pas correct ! déclara Lucie.

Les deux filles croisèrent les bras en signe de désaccord. Leurs reproches lui firent mal, mais Cathryn reconnaissait qu'elles avaient raison. Elle n'aurait jamais dû mentir. Elle ne se sentait pourtant plus capable de revenir en arrière.

— C'est vraiment pas cool, ton histoire, jugea durement Lan. Tu devrais lui dire la vérité.

Frustrée, Cathryn se leva. Elle empoigna ses affaires :

— Ça va, les sermons ! J'ai pas besoin de votre avis de filles pas déniaisées !

Cathryn partit du restaurant en hâte. Elle courait à toute vitesse dans l'espoir de rattraper Samuel. Soudain, elle le vit qui allait traverser le boulevard Langelier. Elle cria :

— Sam !

Il se retourna et l'attendit.

— Excuse-moi pour tantôt. J'étais surprise, c'est tout.

Voir Samuel et sa mine triste confirma sa décision : elle se moquait bien de mentir. Elle voulait trop rester avec lui. Elle nagea dans ses histoires inventées comme un poisson dans l'eau :

— J'ai fini mon *shift* plus tôt.

— Pourquoi tu veux pas venir à la soirée pour ma fête ?

— Je peux pas. C'est le même soir que la fête de ma meilleure amie. J'ai pas vraiment envie d'y aller, mais j'ai promis.

Samuel semblait hésitant, comme s'il avait quelque chose à dire et qu'il ignorait comment. Il chercha ses mots en se frottant les mains fébrilement :

— On dirait, des fois... que tu veux pas me voir ! Ou que tu me caches des choses.

Elle n'osa rien répondre. Elle se mordilla la lèvre pour résister à la tentation de raconter d'autres histoires. Se taire était moins risqué. Elle voulut partir, mais il la tira vers lui :

— Pars pas comme ça, chuchota-t-il.

Il l'embrassa doucement pour la calmer. Cathryn sentait qu'elle ne méritait pas son affection. Elle n'était que du venin qui empoisonnait sa vie et pire encore, il ne s'en rendait pas compte. Alors que ses lèvres pressaient celles de Samuel, Cathryn réalisa à quel point elle était prisonnière de son propre piège.

# CHAPITRE 14

Cathryn s'écroula par terre. Elle avait roulé en bas du divan, emportée par un fou rire incontrôlable. Assistant à sa chute, les autres autour s'esclaffèrent de plus belle.

Finalement, le party de fête de Mathilde était génial. Ses amis étaient hilarants ! Elle regrettait d'avoir pensé le contraire. Ces fous racontaient des blagues démentes. Ils avaient des goûts vestimentaires hors du commun et faisaient les clowns sans se soucier de l'opinion des autres. Camille et Philip lui montrèrent leur danse du macaque enragé. La chorégraphie consistait à se placer, genoux pliés, les mains sous les bras comme des singes et à pivoter sur ses pieds frénétiquement. C'était inélégant, mais parfait pour se défouler ! Après la danse, Dina lui expliqua les tours qu'elle jouait aux professeurs de leur école, tandis qu'Édouard lui apprit sa technique pour prendre des photos hallucinantes.

Cathryn les enviait. Ils semblaient tous si authentiques ! Comme eux, elle désirait mordre dans la vie et être vraie.

Mathilde avait préparé un punch. Comme dans les films d'ados américains, un malin y avait ajouté du rhum. Cathryn en avait bu juste un peu. Elle préférait continuer à danser n'importe comment avec Mathilde, qui semblait heureuse de sa présence. Elles se retrouvaient enfin.

Prise d'une bouffée de chaleur, Cathryn se retira quelques minutes. Elle monta au rez-de-chaussée et croisa les parents de Mathilde, qu'elle aimait bien. Ils étaient gentils, un couple de curieux qui adorait voyager. Ils avaient adopté Mathilde à la suite de leurs années de travail humanitaire à Haïti. Cathryn discuta un peu avec eux, puis sortit dehors pour s'aérer.

Elle huma l'air frais de ce début mai. Un vent de l'est réchauffait l'air. Elle repensa à son premier rendez-vous avec Samuel, à leur longue marche dans la nuit étoilée. Puis lui revinrent en tête tous les mensonges qui embrumaient son bonheur. Elle avait envie de tout dire à Samuel, d'être totalement elle-même. En lui mentant, c'était comme si elle restait à distance dans un monde imaginaire. Un univers trompeur qui lui brisait le cœur.

Elle sortit son téléphone. Aucun message.

Samuel pourrait-il accepter les raisons qui l'avaient amenée à raconter ses histoires fausses ?

Cathryn lui téléphona. Il répondit après plusieurs sonneries :

—Allô ?

Cathryn perçut des cris, des chants et des sons de verres qui s'entrechoquent. Samuel semblait avoir été interrompu en plein éclat de rire.

—C'est Cat. Je voulais juste savoir si…

Samuel la coupa :

—Attends une minute, Cat…

Elle comprit qu'il se déplaçait. Elle fit les cent pas toute seule dans la cour.

—Cat ? T'es là ?

—Oui, oui !

—J'entendais rien. Je suis sorti. Qu'est-ce qu'il y a ?

—Je… Je voulais te dire…

Hésitante, Cathryn ne trouvait plus les mots. Pourrait-il lui pardonner ? Comprendrait-il qu'elle n'avait jamais voulu lui faire de mal ?

—Cat ?

—Je voulais juste savoir si tu passais une belle soirée !

Cathryn était incapable de lui avouer ses torts au téléphone, surtout le jour de sa fête.

—Ouais, c'est cool, répondit Samuel d'une voix molle. Mais ça serait encore mieux si tu étais là !

Voilà le problème : Samuel était trop gentil. Il avait le don de toujours lui dire ce qu'elle avait besoin d'entendre. Il lui donnait l'impression qu'elle valait quelque chose. C'était précieux en ces temps où elle perdait de plus en plus confiance en elle. Elle aurait aimé aller le rejoindre.

Pourquoi n'était-elle pas née quatre ans plus tôt ?

— T'es soûl ?

— Juste un peu !

— J'aurais vraiment aimé venir.

— Cat ?

— Oui ?

— Je t'aime.

Elle ressentit à la fois le plus sensationnel et le plus horrible pincement au ventre. Un mélange d'amour pur et de culpabilité.

— Moi aussi, lui avoua-t-elle pour la première fois.

Un doux silence suivit. Cathryn se sentait étourdie. Elle demanda :

— On se voit demain ?

Ils se donnèrent rendez-vous place D'Youville. Cathryn raccrocha et rangea son téléphone.

C'était décidé : elle arrêterait de le faire marcher, même si ça lui déchirait le cœur.

Le lendemain, un temps gris accompagnait Samuel et Cathryn à leur rendez-vous. Ils allèrent chez Paillard se gaver de macarons. Cathryn repoussait sans cesse le moment de révéler ses mensonges. Elle voulait profiter d'encore quelques instants de bonheur. Elle se doutait que sa confession pourrait mettre fin à leur relation.

Ils marchèrent jusqu'au Château Frontenac et passèrent main dans la main près des grandes fenêtres du restaurant donnant sur le fleuve. Samuel promit de l'y emmener un jour. Cathryn n'osa pas répondre. Elle avait des papillons dans le ventre. Elle approchait du moment décisif comme une accusée dans une cour de justice. Elle serait bientôt jugée. Mais elle connaissait déjà le verdict. Quelle serait sa sentence ?

Elle récapitula ses explications dans sa tête : elle n'avait pas voulu lui mentir sur son âge, il avait suggéré qu'elle était plus vieille et elle n'avait que saisi la balle au bond.

Alors qu'ils marchaient sur la terrasse Dufferin, Samuel parlait de sa session au cégep qui se terminait bientôt. Il attendait les vacances avec impatience ! En plus de travailler à la boutique, il voulait faire des randonnées en montagne et aller au chalet de son oncle. Il était d'une humeur enthousiaste et lui proposait une foule de projets communs pour l'été :

— T'es déjà allée dans un grandeur nature ?

— Non, jamais.

— Je vais t'emmener ! Il faut que tu voies ça !

Une autre promesse qui disparaîtrait bientôt.

Cathryn lui sourit en guise de réponse. Elle le trouvait si merveilleux ! Elle s'accrocha à son bras pour l'embrasser longuement. Elle était incapable de le repousser...

Soudain, quelqu'un cria au loin :

— Sam ?

Cathryn se retourna en même temps que lui. Elle vit qui l'appelait et sentit son sang se glacer dans ses veines...

Anouk ! Qu'est-ce que sa demi-sœur faisait là ? Elle connaissait Samuel ?

Cathryn ne pouvait plus se cacher. Anouk approchait avec deux de ses amies. Elle sursauta en reconnaissant Cathryn.

Avant que les trois filles ne les rejoignent, Cathryn se tourna vite vers Samuel :

—Je suis vraiment désolée, Sam ! Je te le jure !

Il la regarda sans comprendre.

Anouk s'adressa à Samuel :

—Ça va, Sam ? dit-elle, tout heureuse.

Cathryn remarqua tout de suite que sa demi-sœur avait son air hautain et condescendant des mauvais jours.

—Qu'est-ce que tu fais de bon ?

—On se promène, comme ça, répondit Samuel en prenant la main de Cathryn.

Anouk semblait interloquée :

—Ouain, Sam ! Je savais pas que t'aimais les filles aussi jeunes !

—De quoi tu parles ?

Cathryn ne pouvait plus supporter la situation. Elle lâcha la main de Samuel, qui regardait Cathryn et Anouk en alternance. Il demanda :

—Vous vous connaissez ?

—Ben oui, c'est ma petite demi-sœur ! lança Anouk. Ma demi-sœur qui a juste 14 ans !

Samuel fixa Cathryn sans comprendre. Il attendait une explication. Cathryn, en état de choc, était incapable de réagir devant ce public de harpies.

C'était pire que tout. La pire manière d'annoncer à Samuel qu'elle était une menteuse. Cathryn ne pouvait plus se retenir. Une larme coula sur sa joue. Elle voulait disparaître, n'être jamais apparue dans la vie de Samuel. Elle recula.

Samuel l'interpella durement :

— C'est vrai, ça ?

Elle ne répondit rien. Lorsqu'il fit un pas vers elle, elle lui tourna le dos et prit la fuite. Pas une seule fois, elle ne regarda derrière elle. Elle espérait qu'il la laisse partir.

Son histoire avec Samuel était terminée.

# CHAPITRE 15

Le lendemain, Cathryn dîna toute seule dans un coin du salon des élèves de troisième secondaire. Elle engouffra son lunch et alla lire des bandes dessinées à la bibliothèque. C'était sa nouvelle routine au collège depuis qu'elle avait insulté Lan et Lucie. Elle ne leur avait même pas annoncé sa rupture.

Pour la première fois de sa vie, elle débordait de temps libre. Elle n'avait ni amies ni activités parascolaires pour remplir son horaire…

Et elle s'ennuyait!

Après l'école, sur le chemin du retour, Cathryn remarqua les vitrines décorées en l'honneur de la fête des Mères, qui était dans quelques jours. Les boutiques affichaient leurs promotions sur les cadeaux typiques : fleurs, chocolat, bijoux. Tout ça la rendait triste. Même si elle avait fait une croix sur Patricia, la fête des Mères restait un moment éprouvant.

Cathryn aurait aimé avoir une maman « ordinaire ». Une mère qui lui téléphone et qui vient la visiter. Une mère présente, qui est là quand elle promet de l'être. Une mère normale, qui ne vide pas son compte en banque pour lui offrir des cadeaux inutiles. Cathryn aurait même troqué la sienne contre une maman quétaine, de celles qui forcent leurs enfants à porter des tricots douteux à Noël. Tout, sauf une mère qui fait des crises au McDonald's parce qu'on a oublié d'enlever les cornichons de son hamburger.

Le pire : elle ne pouvait plus fuir sa tristesse en faisant un détour à la boutique de BD. Elle décida même de changer de trajet pour éviter de croiser Samuel. Elle marcha longtemps pour tenter d'oublier.

De la pluie se mit à tomber. Rapidement, elle se changea en averse. L'eau claire nettoyait le paysage, promettant un lendemain plus propre. Les passants se réfugiaient dans les cafés et les restaurants. Pas Cathryn. Elle descendit la côte vers le port, là où la marée inondait la rue Dalhousie, juste devant le Musée de la civilisation. Il n'y avait plus de terre à l'endroit où Samuel et Cathryn avaient échangé leur premier baiser. Que de l'eau. Cathryn avait envie de s'y rendre. Elle aurait voulu nager dans le fleuve, se laisser ballotter par les vagues pour laver sa tristesse...

Elle repartit plutôt chez elle, complètement trempée par la pluie et les yeux bouffis par les pleurs.

Cathryn s'enferma dans sa chambre dès qu'elle rentra. La journée avait été si longue ! Elle s'installa pour poursuivre son rattrapage en mathématiques, mais dès qu'elle entendit Anouk rentrer, elle devint enragée.

Elle en voulait tellement à sa demi-sœur ! Elle lui reprochait tout, même d'exister ! Cathryn avait envie de détruire tout ce qui appartenait à Anouk: sa chambre, ses vêtements, ses trophées…

De quel droit lui avait-elle pourri la vie ? Pourquoi s'en était-elle mêlée ?

Cathryn avait pourtant voulu tout avouer à Samuel. Si la révélation était venue de sa bouche, la vérité lui aurait fait moins mal. Elle en était certaine. Maintenant, il était trop tard pour revenir en arrière…

Après la rage, Cathryn sentit de grosses larmes monter à ses yeux. Des torrents d'eau salée se déversèrent. Elle sanglota en écoutant de la musique qui la coupait du monde.

Cathryn ne répondit pas à son téléphone, qui sonnait sans arrêt. Elle écouta ses messages. Ils étaient tous de Samuel. Il la suppliait de le rappeler. Au fur et à mesure, les messages raccourcissaient, passant de « Je veux juste comprendre » à « Rappelle-moi-bye ». Mais Cathryn refusait de lui parler. Elle ne voulait pas lui faire plus de peine. Il valait mieux mettre fin à cette histoire.

*Finito*, le beau Sam.

Quand même chamboulée d'entendre la voix suppliante de Samuel, Cathryn décida de lui envoyer un texto. Elle prit son courage à deux mains et tapa : « M'appelle plus, STP. »

À partir de ce moment, elle ne reçut plus de messages.

Ce soir-là, au souper, elle faisait face à Anouk. Elles ne s'étaient pas revues depuis la révélation sur la terrasse Dufferin, la veille. Cathryn se retint de ne pas lui enfoncer la tête dans le plat de patates pilées. Anouk, elle, fixait sa demi-sœur avec un air de défi. Elle savait bien que Cathryn ne voudrait pas aborder le sujet de Samuel devant leurs parents. Elles se toisaient donc en silence, comme deux cowboys prêts à faire feu.

Cathryn se demandait si Anouk était jalouse, ou juste méchante. Elle s'en voulait de ne pas avoir pensé que Samuel et elle pouvaient se connaître. Ce n'était pas surprenant : ils avaient le même âge, EUX, et fréquentaient le même cégep.

Cathryn resta muette pendant le repas. Elle ne remarqua pas les regards inquiets de son père et de sa belle-mère. Elle mangea à peine, puis retourna vivre sa peine d'amour en cachette.

Dans sa chambre, elle tenta à nouveau de réviser ses mathématiques. Échec lamentable. Les larmes coulaient dans son cahier. Elle sortit alors son matériel d'art et plaça de grandes feuilles sur sa table à dessin. Crayon en main, elle se demanda quoi tracer.

Un moment d'hésitation…

Puis, rien. Le cœur n'y était plus. Il avait fondu. Elle n'avait plus envie d'étudier ni de dessiner. Pourrait-elle un jour se sortir de cette peine ? Est-ce que tout irait mieux si elle oubliait complètement Samuel ?

Cette idée lui donna un sursaut de combativité. Samuel devait disparaître de son univers.

Cathryn trouva la facture de restaurant de leur premier rendez-vous, qu'elle avait subtilisée pour la garder en souvenir. Elle se mit à la déchirer en minuscules morceaux. Elle se débarrassa de son chandail souillé de crème glacée et de celui de Punisher, qu'il lui avait offert.

Elle effaça toutes les traces de l'existence de Samuel.

Il ne restait qu'à faire le ménage de son téléphone. Elle l'attrapa d'une main confiante et fit défiler les albums. Dès qu'elle apercevait une photo de Samuel, elle la supprimait. Cathryn appuyait fort sur le bouton, comme si le geste répété en viendrait à conditionner son cerveau à tout effacer. Elle passa ensuite à sa liste de contacts favoris. Elle en enleva le numéro de BD Québec. Elle irait se procurer ses comics ailleurs. Tant pis. Elle effaça aussi le numéro de Samuel, puis ouvrit sa boîte vocale.

Elle eut alors un mouvement d'hésitation. Pouvait-elle au moins garder le message qu'il lui avait laissé pour leur premier rendez-vous ?

Elle réécouta le fameux message. Une, deux, trois fois. Les paroles de Samuel résonnaient comme une musique douce…

« J'ai hâte de te voir ! »

Une dernière fois encore. Puis, Cathryn fit ce qu'elle s'était juré de ne pas faire. Elle appuya sur le « 7 ». Le message était effacé. L'action lui donna comme un coup en pleine poitrine. Elle se plia en deux, heurtée par la rupture totale, et elle recommença à pleurer. Elle n'arrivait pas à retenir ses sanglots. Quelqu'un cogna à la porte. Son père entra. Cathryn ne pouvait pas se cacher. Sa peine se lisait sur son visage.

—Qu'est-ce qui se passe, Cathy ? lui demanda son père, désemparé.

Cathryn n'avait pas envie de se confier à son père. Elle avait trop honte. Elle serrait les lèvres, montrant qu'elle ne voulait rien dire. François s'apprêtait à repartir, mais Manon arriva derrière lui pour l'en empêcher :

—Ça suffit !

Cathryn, surprise par l'attitude de sa belle-mère, sentit que quelque chose n'allait pas. Son père avait l'air mal à l'aise, comme s'il voulait lui annoncer quelque chose. Que se passait-il ? Qui était mort ?

—Cathryn a besoin de savoir pour comprendre, François !

François baissa la tête. Il s'avouait vaincu. Il s'assit sur le lit près de Cathryn. Manon resta dans l'embrasure de la porte, comme pour s'assurer qu'il ne se défilerait pas.

—Je… Je pensais que tu t'étais habituée à ce que ta mère soit pas fiable, dit-il tout bas. Mais je vois bien que non. Tes notes baissent, tu abandonnes tous tes projets. Tu te ressembles plus...

La surprise était totale, mais Cathryn était soulagée de ne pas devoir parler de Sam. Et en réalité, son père n'avait pas tort. Patricia avait été la première à lui briser le cœur.

— Il y a quelque chose que tu dois savoir, continua François.

Ces mots firent frissonner Cathryn. Quel autre drame allait la frapper ? Elle en avait assez des problèmes et des mauvaises nouvelles !

François prit la main de sa fille. Il flatta sa paume comme il l'avait toujours fait pour la calmer lors de moments difficiles. Il toussota avant de continuer :

— Ta mère... elle est bipolaire. Elle a reçu son diagnostic quand elle était enceinte de toi.

Sur le coup, Cathryn ne sut pas quoi dire. La bipolarité ne lui disait rien, outre que c'était une maladie mentale. Elle ne voyait pas comment Patricia pouvait en souffrir. Elle avait l'air normale. Son père lui expliqua rapidement que la bipolarité était un trouble de l'humeur qu'on appelait aussi « maniaco-dépression ». Ces explications amenèrent Cathryn à trouver la nouvelle assez grave. Ce qui l'enragea surtout, c'était qu'on lui cachait la vérité depuis toujours.

— Pourquoi tu me l'as jamais dit ? grogna-t-elle.

Son père s'excusa :

— Je voulais juste te protéger. J'avais peur qu'elle te fasse du mal. Comme elle m'en a fait à moi. C'est une maladie difficile. J'ai essayé de l'aider. Un jour, elle a dépassé la limite. C'est pas elle qui nous a quittés ; c'est moi qui suis parti avec toi…

Son père eut un mouvement vers elle, mais Cathryn recula. Elle lança avec aplomb :

— Sors ! Je veux être toute seule !

Son père comprit, mais avant de quitter la chambre, il ajouta :

— Je m'excuse, Cathy. J'essayais de te protéger. J'avais des bonnes intentions. Je me suis trompé…

Il partit avec Manon.

Enfin seule, Cathryn réfléchissait à toute vitesse : « Ma mère m'a pas abandonnée ? Elle est bipolaire ? Qu'est-ce que ça fait, ça ? Et qu'est-ce que ça me fait, à MOI ? »

# 4. RENAISSANCE

# CHAPITRE 16

Cathryn n'avait pas adressé la parole à son père depuis sa révélation, deux semaines plus tôt. Elle n'était pas prête à lui pardonner ce grand secret. Ne parlant pas non plus à Anouk, Mathilde, Lan ou Lucie, elle n'avait de conversations qu'avec Manon ! Et avec Max à l'école, qui lui avait à nouveau emprunté son cahier de français. Cathryn se questionnait beaucoup. Elle découvrait de nouveaux pans de la personnalité de ses parents : les cachotteries de son père et la bipolarité de sa mère. Elle pensait sans cesse à ce trouble intrigant. Elle en connaissait le nom, mais pas la teneur.

Un jour, pendant le dîner, qu'elle passait seule à la bibliothèque du collège, elle décida de s'informer sur le trouble bipolaire. Cathryn en découvrit la complexité. La bipolarité se définissait surtout par une « fluctuation » de l'humeur. Il y avait des périodes d'élévation et des périodes dépressives. La liste des symptômes était interminable ! En phase « dépression », on retrouvait notamment la sévérité envers soi-même, la volonté de se punir, l'humeur déprimée, la perte d'intérêt, la baisse de concentration et le sentiment de culpabilité. En phase « manie », c'était l'inverse. L'estime de soi, les pensées, les plaisirs et la parole augmentaient de façon excessive, jusqu'à un haut risque de conséquences négatives.

Plus elle s'informait, plus Cathryn avait l'impression de lire la biographie de sa mère. Elle avait enfin accès au morceau de puzzle qui lui manquait. Elle revoyait ses souvenirs d'enfance avec une nouvelle perspective. Elle comprenait mieux la crise au restaurant lorsque Patricia avait lancé son hamburger sur le commis. Elle se souvint aussi de sa mère lui promettant de construire une cabane dans la cour :

Patricia avait acheté des tonnes de matériaux, mais quelques jours plus tard, elle avait sabordé le projet en prétextant que les voisins l'espionnaient. Elle s'était ensuite enfermée dans la maison pendant deux semaines.

Chaque parcelle de souvenir prenait une autre signification. Ces incidents avaient été des sources d'angoisse et de culpabilité, mais pour la première fois, Cathryn constatait que leur déclencheur venait d'ailleurs. Elle n'en était pas la cause.

À travers ses recherches, Cathryn découvrit aussi quelque chose d'effrayant : la bipolarité pouvait être héréditaire, c'est-à-dire se transmettre par la génétique familiale.

Cathryn avait de 20 à 25 % de risques d'en souffrir aussi.

Était-ce la raison pour laquelle elle s'inscrivait à un million d'activités parascolaires ? Était-ce le trouble bipolaire qui l'avait poussée à mentir à Samuel ? Et à entretenir cette volonté de se punir ? Était-elle dans une phase dépressive ?

Cathryn trouva un questionnaire en ligne pour s'évaluer. Elle hésitait. Elle ressentait un intense mélange de peur et de curiosité. Ses doigts restaient suspendus au-dessus du clavier de l'ordinateur.

Et si elle était malade, elle aussi ?

Elle décida qu'il valait mieux en avoir le cœur net !

Elle répondit à plusieurs questions : avait-elle connu, ou connaissait-elle actuellement, une période délimitée durant laquelle, pendant la plus grande partie de la journée, presque tous les jours, son humeur, de façon persistante, était anormalement élevée et expansive ? Était-elle anormalement irritable ? Son énergie dirigée vers un but était-elle anormalement augmentée ?

Cathryn trouva ces questions bien compliquées… et anormales ! Malgré tout, elle prit le temps de réfléchir : vivait-elle des symptômes évidents depuis au moins deux semaines ? Elle constata que son humeur dépressive et ses pertes d'intérêt duraient depuis le début de février. Par contre, elle n'avait pas de pensées de mort ou d'idées suicidaires.

Elle remplit le questionnaire du mieux qu'elle put. À la fin, elle avait l'impression d'avoir tous les symptômes ! Elle appuya sur le bouton « Analyse » et souffla en constatant le résultat du test : « Selon vos réponses, vous ne satisferiez pas aux critères d'un trouble bipolaire. »

Cathryn savait cependant qu'un test en ligne n'était pas suffisant. Elle devait rencontrer un spécialiste.

Dès que son père revint du travail, elle se rua sur lui avec une pile de dépliants collectés à l'infirmerie de l'école. Il était ravi que sa fille lui adresse enfin la parole, mais son enthousiasme disparut lorsqu'il comprit la raison de son approche :

— Je veux voir un psy, lui lança Cathryn.

— Pourquoi ?

— Pour savoir si moi aussi, je suis bipolaire.

Sous le choc, François tenta de rester calme :

— Cathy, je pense pas…

— C'est à moi de décider, trancha Cathryn. J'aurais dû le savoir avant, que maman avait un trouble bipolaire.

— On pourrait attendre encore quelques années ?

—Je veux savoir maintenant!

Son père hocha la tête:

—Tu as raison. Viens.

Il tendit les bras vers elle et elle accepta de s'approcher. Il la berça comme quand elle était toute petite.

—Peu importe le résultat, je serai là pour toi.

—Je sais. Mais je suis grande maintenant, papa. Ça va aller.

Quelques jours plus tard, Cathryn patientait dans la salle d'attente d'une psychiatre. La pièce minuscule, sans fenêtre, n'avait rien de chaleureux. Il n'y avait qu'un bureau, trois chaises et un distributeur d'eau. Les murs beiges étaient déprimants à mourir. On avait placé une plante verte dans un coin, mais elle se desséchait.

Cathryn attendait en faisant craquer ses jointures. Le moment était venu de savoir si sa vie changeait, si elle devait accepter de souffrir d'un mal profond.

Une porte s'ouvrit. Une dame dans la cinquantaine se présenta avec un accent anglais :

— Cathryn ? Je suis Diane Smith, médecin psychiatre. C'est moi qui vais t'évaluer aujourd'hui. Suis-moi.

La spécialiste était grande et large, et Cathryn se prit de sympathie pour elle. Elle faisait partie de son clan : les « grands ». Les deux femmes s'installèrent dans le bureau, qui était aussi large que la salle d'attente, avec deux fauteuils face à face. La lumière y était tamisée, et Cathryn devait plisser les yeux pour bien voir. Il y avait des fenêtres, mais elles donnaient sur une tour qui bloquait les rayons du soleil.

Madame Smith lui posa plusieurs questions… Au moins 200 ! En boucle, variant les formulations chaque fois. Au début, Cathryn se sentait à l'aise de répondre, mais ce manège l'épuisa vite. Elle était embarrassée par la répétition, comme si on doutait de ses réponses. La psychiatre voulait connaître tous les détails de ses récentes périodes dépressives. Elle voulait tout connaître sur son poids, ses habitudes de sommeil, ses activités, ses rapports avec les autres, ses angoisses… Elle insista aussi pour savoir si elle consommait de l'alcool ou de la drogue. Cathryn en avait la tête qui tournait.

Soudain, comme prise dans un étau, Cathryn explosa. Elle raconta son histoire avec Samuel. Les larmes coulèrent abondamment, comme si on avait ouvert la valve qui retenait sa tristesse. Elle réussit à dire entre deux sanglots:

—J'ai si mal de l'avoir blessé…

Madame Smith lui donna une boîte de mouchoirs et la laissa reprendre son souffle avant de lui expliquer:

—Je ne crois pas que tu sois bipolaire, Cathryn.

—Mais mes mensonges? Pis mes décisions sur un coup de tête?

—Tes comportements impulsifs ne te mettent pas en danger de mort. Ce n'est qu'une facette de ta personnalité.

—Et ma déprime? On dirait que je m'en sortirai jamais!

—Je comprends. Mais tu sais, quelqu'un qui souffre d'un trouble de l'humeur va être déprimé sans raison. C'est une grande différence. Ça peut te sembler difficile à imaginer, surtout dans ton état actuel, mais savoir "pourquoi" tu as mal va t'aider à sortir de ta douleur. Tu vis une peine d'amour. Tu as bien raison d'être triste.

Cathryn inspira profondément. L'air emplit ses poumons. Les mots de la spécialiste avaient du sens. Elle respirait un peu mieux.

Madame Smith poursuivit :

— Les enfants de parents bipolaires n'ont pas nécessairement la maladie. Ils peuvent en être porteurs, mais ne jamais la développer. On va tout de même se revoir de temps en temps. Pour faire un suivi. Mais je ne veux pas que tu t'inquiètes pour ça. Concentre-toi sur les choses que tu aimes.

Quelques minutes plus tard, Cathryn sortait du bureau, le visage encore rougi par les larmes. Elle rejoignit son père qui l'attendait dans la voiture. Elle lui répéta du mieux qu'elle le put les mots de la psychiatre. Son père l'écouta en souriant, apaisé par la nouvelle. Ils parlèrent plus d'une heure dans l'automobile, retrouvant la proximité qu'ils avaient toujours eue. Cathryn, rassurée, sentait que sa confiance reviendrait. La lueur d'un espoir qu'elle n'avait pas ressenti depuis longtemps.

François démarra. Sur la route, Cathryn lui demanda de lui raconter des histoires concernant sa mère. De bonnes comme de mauvaises. Elle avait envie de mieux la connaître. Son père accepta et lui décrivit leur rencontre, leurs premières sorties, leurs chicanes. Cathryn découvrit une relation passionnée et bouleversante. Elle constata aussi que Patricia avait souvent fait des adieux. Elle comprit que l'abandon récent de sa mère n'était pas sa faute, qu'elle n'avait rien fait de mal.

Elle était une adolescente normale.

# CHAPITRE 17

Rue Saint-Jean, des travailleurs de nuit revenaient de l'Hôtel-Dieu. Cathryn se sentait comme eux, déphasée par rapport au reste du monde. Depuis février, elle vivait à l'envers. Mais elle avait décidé que c'était terminé ! En ce 1er juin, elle reprenait le contrôle. Et elle commencerait par s'excuser auprès de Lan et de Lucie.

Elle marchait vite, animée par une solide détermination… et se pressant pour arriver à l'heure à son premier cours. La veille, elle avait oublié de mettre son alarme et ce matin, elle s'était réveillée en retard, de sorte que ses yeux étaient encore engourdis de sommeil.

Au coin de la côte du Palais, elle aperçut Dave, un collègue de classe toujours en retard. Le croiser lui confirma que la cloche avait déjà sonné. Cathryn soupira. Elle changea de chemin pour passer par l'entrée administrative. La secrétaire nota son retard dans son dossier. Tant pis. Elle n'en était pas à un problème près !

Cathryn se hâta de retrouver son local de français, où elle put se reposer en visionnant un film sur l'œuvre de Robert Lepage. Lan et Lucie l'observaient de loin. Comme tout le monde, elles avaient remarqué ses traits tirés et ses yeux rougis. Cathryn leur écrivit une petite note : « J'aimerais vous parler ce midi. » Elle l'expédia par la voie express de droite ; le papier passa par les mains de Maïka, qui le remit à Mariam, qui le lança à Lan. La note revint quelques minutes plus tard avec un « OK » ajouté au feutre rose.

Au dîner, Cathryn retrouva Lucie et Lan. Elle s'apprêtait à leur présenter ses excuses lorsque ses amies se levèrent pour lui sauter au cou. Lucie s'inquiétait :

— Tu vas bien, Cat ?

— T'as l'air d'un zombie, ajouta Lan.

Cathryn, déstabilisée par leur gentillesse, bégaya ses excuses :

— Je voulais pas être méchante. Je capotais. Je savais plus quoi faire. Je voulais pas mentir.

Les trois filles restèrent encore quelques secondes en boulette d'amitié, trop heureuses de se retrouver. Lan proposa :

— On oublie tout, OK ?

— OK ! répondit Cathryn. Mais je vous en dois une. Tournée de galettes !

Contente de se réconcilier avec ses amies, Cathryn les emmena au café étudiant pour leur offrir leur collation favorite. Lucie demanda alors :

— Comment ça se passe avec ton super mec ?

Cathryn eut un pincement au cœur. Elle dit simplement :

— C'est fini.

Elle préférait vivre sa peine d'amour toute seule. Compatissantes, ses amies n'insistèrent pas. Lan et Lucie la comprenaient. Elles changèrent aussitôt de sujet.

Peu de temps après leurs retrouvailles, Cathryn dut quitter ses amies. Elle avait de la récupération en mathématiques et comme ses résultats ne s'amélioraient pas, elle devait se reprendre à tout prix. Elle se dirigea donc rapidement vers le bureau de monsieur Cohen.

Lorsqu'elle tourna le coin du couloir, toutefois, elle se retrouva entourée de tous les membres de la troupe de théâtre. Kelly et Marek lui bloquaient le passage devant, Théo, Gustave et Natalia la coinçaient derrière. Daniel, Alec et Fred la regardaient de travers, Stéphanie et Antoine restaient sur leurs gardes et Bastien, Carolanne et Léa lui faisaient face.

— Faut qu'on parle, l'apostropha Bastien d'un ton strict.

Cathryn aurait bien voulu s'enfuir, mais elle était complètement cernée.

— Faut que tu reviennes dans la troupe, sinon y aura pas de représentation.

Cathryn plaisanta :

— Faites donc une pièce sans décor ! Genre "expérimental".

Sa boutade pour détendre l'atmosphère fut un échec total.

Carolanne expliqua :

—Madame LeBlanc veut rien savoir. Si on finit pas les décors, y a pas de pièce.

—Marek peut les faire, lui!

Cathryn pointa l'assistant technique. Tout le monde se tourna vers lui:

—Moi? bafouilla celui-ci. Non, non! Je suis pas capable. Je suis juste bon en peinture...

Cathryn tenta de profiter de la diversion pour s'esquiver. Léa lui barra le passage avec une de ses béquilles.

—On a pas fini! lança-t-elle froidement comme Elsa, son personnage.

—C'est toi qui as dessiné ça? lui demanda Bastien.

Le metteur en scène lui tendait son cahier de français. On pouvait y voir ses nombreux dessins, dont des cases de sa bande dessinée avec sa superhéroïne C.A.T.Y. Tout le groupe s'approcha pour observer le cahier. Cette indiscrétion irrita Cathryn. Elle sentait qu'on examinait sa vie privée et ne put se retenir de hausser le ton:

—Qu'est-ce que tu fais avec ça?

—C'est Max qui voulait que je te le redonne, avoua Gustave, en retrait. Il pensait que je te verrais avant lui. À cause du théâtre.

Effectivement, Gustave, Max et elle avaient des cours communs. Cette raison n'empêcha pas Cathryn d'être furieuse :

— On vous a jamais dit de pas fouiller dans les affaires du monde ?

Elle arracha son cahier des mains de Bastien.

— C'est trop génial ! s'exclama Marek, plein d'admiration.

— T'es vraiment bonne en art, renchérit Fred.

— Tu pourrais faire mon portrait ? l'implora Carolanne.

— Tu vas la publier, ta BD ? demanda Alec, curieux de lire la suite.

— Cathryn, y a juste toi qui peux finir les décors, conclut Bastien.

Elle regarda les membres de la troupe, suppliants. Leur confiance lui donnait du courage, mais elle devait refuser :

— Y reste juste deux semaines avant la première. Et j'ai pas le temps. Si je remonte pas mes notes en maths, je vais être dans le trouble.

Léa lança :

— On va t'aider !

— Ouais ! Les maths de trois, c'est super facile, déclara Antoine, le bolé de cinquième secondaire.

Cathryn les prévint :

— Je pense pas que ni madame LeBlanc ni madame Moisan vont vouloir que je revienne.

— Je m'occupe de ces deux-là, assura Bastien, confiant en son charme légendaire. Toi, tu apportes tes livres de maths aux répétitions pis tu révises en faisant les décors.

Bon leader, Bastien se tourna vers sa troupe en demandant avec énergie :

— On va l'aider, gang ?

— OUAIS ! crièrent-ils en chœur.

Léa sautilla de joie un peu trop et grimaça de douleur en s'appuyant sur sa jambe blessée.

Ainsi, Cathryn terminerait les décors en échange de tutorat. Un plan qui plut autant au professeur de mathématiques qu'aux responsables de la pièce.

La plus belle partie du printemps commençait. L'air doux de juin sentait bon les fleurs. Des groupes d'élèves en manches courtes déambulaient sur les trottoirs. Tout le monde profitait du beau temps… Tout le monde, sauf Cathryn et Lucie !

Les deux amies sortirent du collège en courant. La cloche de la fin des cours avait sonné, mais leur journée était loin d'être terminée. Elles se pressaient pour aller chercher un repas avant la rencontre du comité d'animation des élèves de troisième secondaire, auquel Cathryn retournait aujourd'hui. Elle n'avait finalement mis qu'une semaine à reprendre tout ce qu'elle avait laissé de côté pendant l'hiver.

Les deux filles zigzaguèrent de la rue Sainte-Famille à la rue Garneau, jusqu'à l'étroite rue Christie, pour atteindre la rue Couillard.

Elles marchèrent près des arrière-boutiques du quartier. C'était le jour du recyclage. Il y avait des tas de boîtes en carton et des morceaux géants de polystyrène blanc. Lucie s'enflamma :

— Tu as vu ça ? Le monde oublie que le premier R du principe des 3RV, c'est la réduction des déchets ! Des contenants de styromousse ! Tu savais que c'est jetable après seulement UN usage ? Et ça met des centaines d'années à se dégrader...

Cathryn tira son amie en riant.

— Allez, Luzerne, grouille !

Ça lui faisait du bien de retrouver sa Lucie !

Les deux amies arrivèrent enfin à leur but : le café Temporel. Elles commandèrent des repas pour emporter – dans des plats réutilisables apportés par Lucie – et repartirent aussitôt.

À leur arrivée, le comité se disputait déjà. Le sujet chaud de l'heure : le thème de la fête de fin d'année. Lucie fit des signes désespérés. Malgré la catastrophe de la fête du printemps, William proposait à nouveau des thèmes débiles :

— Ça serait malade, le thème "pyjama" ! En boxeur pis en dentelle.

Cathryn imaginait déjà les filles se sentir ENCORE obligées de porter des tenues sexy inappropriées. Les autres membres du comité suggéraient des idées traditionnelles, comme les insectes ou les dieux et déesses. Cathryn osa enfin prendre la parole:

—Moi, je propose le thème "superhéros". Mais pas ceux qu'on connaît. Faudrait inventer un alter ego, trouver un superpouvoir pis fabriquer un costume.

Lucie s'enthousiasma aussitôt:

—Ça serait cool, ça! Je pourrais être Super-Luzerne. Mon pouvoir, ça serait de régénérer la Terre!

Clara, la technicienne en loisirs, adorait la suggestion:

—Oui... C'est différent. Positif et plein de créativité...

Un silence suivit, pendant lequel chacun imagina son superpouvoir. Seul William restait sceptique:

—Je sais pas si le monde va embarquer, t'sais...

—C'est décidé! coupa Clara. Ça sera le thème "superhéros" pour la fête de fin d'année!

—On a même pas voté, se plaignit William.

—Cette fois-ci, c'est moi qui tranche, statua Clara. Ça suffit, les débats pis les idées farfelues qui nous mettent dans le pétrin.

Clara regardait sévèrement William, qui se cala dans sa chaise et se tut le reste de la réunion. C'était fini : il ne pourrait plus imposer ses stupidités. Cathryn était satisfaite d'avoir contribué à lui faire fermer le clapet. Mais ce qui la faisait autant sourire, c'était d'avoir recommencé à s'impliquer. Elle retrouvait enfin sa force créatrice et sa confiance en ses capacités.

Après la réunion, malgré sa fatigue, Cathryn alla à l'amphithéâtre, qui était vide à cette heure. Elle dénicha l'interrupteur et les projecteurs s'allumèrent sur la scène. Elle s'avança jusqu'à la coulisse où se trouvaient ses travaux en cours. Les panneaux noirs picotés de blanc n'avaient pas changé. Des pinceaux mal lavés avaient séché – il faudrait les jeter. Cathryn vit qu'on avait découpé d'horribles flocons dans du carton. Le reste du matériel qu'elle avait acheté dormait toujours dans des sacs.

Elle se demanda par où commencer. Il y avait un million de choses à faire !

Elle retrouva alors sa maquette sous un amoncellement de retailles et se surprit à admirer son propre travail. Ce plan de départ était génial !

Cathryn attrapa le dernier pinceau en bon état. Elle ouvrit un pot de peinture et s'attaqua aux grands panneaux. Elle recouvrit tous les points blancs ajoutés dans son moment de désespoir.

Si elle terminait les décors, ce serait selon SA vision. Elle ne les réaliserait pas pour plaire aux autres. Elle ferait à sa tête.

Pendant la soirée, elle repeignit les panneaux au complet et les installa sur la scène. Il lui resterait à faire son montage vidéo, à décorer des meubles, à trouver des matériaux pour différencier les univers, à changer la toile de projection… La liste était encore longue !

Trois heures plus tard, Cathryn s'affala d'épuisement dans le taxi qui la ramenait chez elle. Malgré la tâche herculéenne qui l'attendait encore, elle sourit à l'idée de concrétiser son grand projet.

# CHAPITRE 18

Cathryn entra dans le local de mathématiques à bout de souffle. Elle était en retard. Encore ! Elle laissa tomber son sac par terre et lut l'examen qui l'attendait sur son bureau. Son esprit bouillonnait à la vue des fractions. L'adrénaline effaça la fatigue et elle resta concentrée toute la durée du cours. Même les regards furtifs de monsieur Cohen ne la distrayaient pas. Elle comprenait enfin les problèmes et savait comment résoudre les équations. Elle avait tout appris par cœur grâce à la troupe, qui avait tenu sa promesse. Pendant les répétitions, Bastien et ses collègues l'avaient vraiment aidée. Ils lui avaient posé des questions entre les scènes et expliqué des notions entre deux coups de pinceau. Étudier en groupe plutôt que toute seule était vraiment motivant.

À la demande de Cathryn, monsieur Cohen corrigea tout de suite son examen. Résultat : 92 % ! Toute la famille mangea au restaurant pour fêter sa note. Même Anouk. Sans rien dire, les demi-sœurs firent la paix.

Cathryn sentait son cœur s'apaiser. Tout semblait rentrer dans l'ordre. Elle avait enfin réussi à dépasser ses limites.

À être vraie. À retrouver celle qu'elle était.

Plus que quatre jours avant la première représentation de la pièce. Depuis plus d'une semaine, les membres de la troupe restaient à l'école tard après les cours pour tout finir à temps. Ce soir-là, par contre, tout allait mal. La vidéo ne voulait pas fonctionner. Gustave fit exploser des ampoules, et Carolanne déchira son costume pendant un essayage. La cerise sur le sundae fut lorsque Cathryn installa ses panneaux. Elle réalisa qu'ils n'étaient pas assez grands. La scène semblait vide !

Elle se rendit dans le débarras où les vieux décors des pièces des années passées étaient entreposés. Elle ouvrit tous les sacs, les armoires, les boîtes. Les choses allaient mal, mais pas question de se décourager. Elle rebondirait et repartirait dans une autre direction.

En fouillant dans le bric-à-brac poussiéreux, Cathryn poussa un cri de surprise : elle venait de découvrir une vieille machine à neige ! Elle s'étira pour l'attraper et la traîna vers l'extérieur. En sortant du débarras, elle tomba sur d'immenses draps en satin noir. De nouvelles idées surgissaient dans sa tête, meilleures que celles de son plan initial.

Alors qu'elle revenait sur la scène avec ses découvertes, un drôle de bruit résonna : TAC !

— Attention ! cria Gustave.

L'attache qui maintenait un pan du décor en place venait de céder. Le haut mur de carton rigide amorça sa chute. Les acteurs coururent se réfugier dans les coulisses alors que le panneau tombait avec fracas.

BOUM !

Heureusement, tout le monde était sauf… hormis le panneau, qui s'était morcelé en tombant. Cathryn contempla son travail gâché. Elle avait mis tant d'heures à tout repeindre, puis à appliquer un givre brillant ! C'était le cœur de son concept. Tous la fixaient, inquiets de sa réaction. Cathryn sentait leurs regards. Plusieurs sensations montaient en elle : désespoir, peur, angoisse…

Machinalement, Cathryn alla aider Gustave et Théo à ramasser les débris. Elle tâtait le carton de mauvaise qualité qui se défaisait en miettes comme de la…

— Styromousse ! s'écria-t-elle.

La troupe la regarda avec surprise. Mais lorsqu'elle se mit à donner des ordres, chacun s'empressa d'obéir :

— Vite ! On doit aller chercher ce qui manque pour le décor !

Cathryn s'élança hors de la salle de spectacle, suivie de la troupe. Ils couraient dans les couloirs vides de l'école. Une enseignante qu'ils croisèrent les pria de ralentir. Sans succès. La secrétaire sursauta lorsqu'ils passèrent en meute devant son bureau.

L'objectif : récupérer d'énormes morceaux de polystyrène jetés aux ordures. Cathryn espérait qu'il y en aurait encore rue Garneau, comme lorsqu'elle y était passée avec Lucie. Il fallait faire vite : il y avait deux journées de récolte par semaine dans le quartier. Et l'une d'elles était aujourd'hui !

La troupe suivit Cathryn jusqu'à la rue Garneau. Victoire ! Les trottoirs étaient à nouveau remplis de morceaux de styromousse. Cathryn cria :

— Ramassez tout !

Un camion de recyclage tourna alors le coin. Il se dirigeait vers eux, récupérant les déchets au fur et à mesure. Cathryn se fit plus pressante. Ses collègues accélérèrent leur collecte. Voyant qu'ils manqueraient de temps, Bastien alla négocier avec les éboueurs, qui leur laissèrent deux minutes pour prendre ce dont ils avaient besoin.

De retour dans la salle de spectacle, la troupe déposa la styromousse dans un coin, et Bastien questionna Cathryn :

— On fait quoi maintenant ?

— On construit le plus cool des châteaux de glace !

Cathryn, des étincelles dans les yeux, fixait les morceaux de styromousse en imaginant une structure solide, mais légère, et qui ne risquerait pas de s'écrouler sur les acteurs ! Elle savait que ce serait immense, génial, impressionnant. Elle le sentait dans son ventre et dans son cœur.

Et sa confiance était si contagieuse que la troupe passa le reste de la soirée à l'aider.

14 juin. Le soir de la première. Déjà !

Quelques minutes avant la représentation, Cathryn tentait encore de faire démarrer la machine à neige. Elle jurait depuis une heure avec Kelly en tentant de la réparer. Une vague de désespoir se répandait au sein de l'équipe technique...

Les comédiens sortirent alors des loges maquillés et costumés. Leur apparition calma les angoisses. Théo et Natalia avaient réalisé un travail formidable. Les vêtements élégants semblaient faits de soie coûteuse. Carolanne portait une robe d'antan bleue et un boléro fuchsia. Ses cheveux tressés avec soin ressemblaient parfaitement à ceux du personnage du film de Disney. L'habit d'Alec, qui jouait Kristoff, était mauve foncé, tandis que Fred, en Olaf, créait un contraste dans sa bourrure blanche immaculée de mascotte. Il sautait de gauche à droite, possédé par son personnage, mais il se calma lorsqu'il perdit son nez en carotte. La plus spectaculaire restait Léa, en Elsa. Malgré ses béquilles, elle portait avec élégance une robe blanche magnifique faite d'un millier d'étoiles pareilles à des flocons brillants. Une longue perruque blanche tombait jusqu'à ses pieds.

Voir les comédiens prêts à jouer enchanta l'équipe technique. L'inquiétude générale disparut. Si Cathryn pouvait mettre la machine à neige en marche, tout serait parfait… Elle donna alors un coup de poing sur l'engin.

POUF !

Une rafale de flocons blancs lui explosa au visage. La machine fonctionnait enfin !

Cathryn ignora le fait qu'elle était couverte de confettis et termina ses installations.

Bastien l'accrocha dans un coin, inquiet :

— Tout est prêt ?

Cathryn ressentit la nervosité du metteur en scène. Pour la première fois, « monsieur parfait » démontrait une faiblesse. Mais Cathryn, bonne joueuse, ne s'en servit pas contre lui :

— Tout est impeccable ! Ta mise en scène est géniale. On va faire un malheur !

Bastien apprécia son commentaire vif et confiant. Il partit encourager ses acteurs fébriles. Cathryn tira le grand fauteuil d'Elsa sur la scène, un divan de la salle des professeurs qu'elle avait décoré pour en faire un trône. Comme Léa ne pouvait pas se déplacer à cause de son plâtre, cet accessoire devenait fondamental pour qu'elle puisse jouer toute la pièce.

Kelly annonça que la représentation débuterait dans quelques minutes. Cathryn se cacha dans les coulisses avec Marek, qui lui remit son appareil de communication. Elle mit les écouteurs sur sa tête et régla l'appareil à la deuxième fréquence. Elle était impatiente de voir la pièce avec de vrais spectateurs dans la salle!

La pièce débuta enfin. Cathryn regarda le spectacle avec fascination, même si elle le voyait à partir des coulisses. Les acteurs étaient si bons! À part une réplique oubliée par Carolanne et une acrobatie de Fred en trop, tout se déroula à merveille. Même la machine à neige avait rempli sa mission avec brio. Surtout, l'auditoire souffla un « Wow! » lorsque la structure en styromousse apparut. Cathryn avait réussi à construire un énorme château parsemé de points brillants!

À la fin, la troupe salua la foule. Bastien tira Cathryn au centre, juste à côté de lui. Les applaudissements ne voulaient pas cesser. Elle s'inclina plusieurs fois, fière de son œuvre.

Le public se dissipant, madame LeBlanc rassembla la troupe:

—Quelle merveille! Bravo, les jeunes!

Elle était émue aux larmes!

Lan et Lucie s'infiltrèrent dans les coulisses pour féliciter Cathryn.

—C'était sublime! dit Lucie, ébahie.

—Malade! ajouta Lan.

Ses deux amies la tirèrent dans la salle. François, Manon et Anouk étaient là, mais aussi Mathilde et ses parents. Leurs regards s'illuminèrent lorsqu'elle s'approcha.

François lui fit un long câlin et Mathilde lui offrit un énorme bouquet:

—D'habitude, c'est aux acteurs qu'on donne des fleurs, dit Cathryn.

—C'est toi qui as créé toute la magie! s'exclama Mathilde. Tu vas devenir une star! La plus grande scénographe du monde...

Alors que Mathilde continuait ses éloges, Manon serra fort Cathryn dans ses bras:

—Tu es tellement talentueuse!

D'autres spectateurs vinrent aussi féliciter Cathryn, dont plusieurs qu'elle ne connaissait pas. Elle ne savait plus quoi dire. Il lui semblait que sourire était la seule chose à faire.

Son père invita sa famille et ses amies pour un dessert spécial à la maison. En arrivant, elle découvrit un énorme gâteau au fromage, sa sorte préférée. Pourtant, son anniversaire n'était que dans 10 jours!

— On pouvait pas attendre pour souligner tes efforts, expliqua son père.

— Merci.

— Je suis si fier de toi…

Cathryn serra fort son papa alors qu'il se cachait pour verser une larme.

Les trois autres représentations de la pièce furent aussi un succès. À chacune, les membres de la troupe s'amélioraient. La rumeur se propagea vite : c'était la meilleure pièce jamais présentée par le collège. Toute l'école voulait y assister. Les élèves accouraient pour obtenir des places, et la direction accepta d'ajouter une soirée supplémentaire. Même Judith, la rédactrice en chef du journal étudiant, alias madame super condescendante, présenta une critique exceptionnelle. Le succès était total !

Les membres de la troupe devinrent rapidement les vedettes de l'école. Pour souligner la fin des représentations, ils allèrent tous ensemble souper au restaurant Tokyo, où ils passèrent une soirée mémorable. Dire qu'ils avaient failli ne pas faire la pièce !

Puis, ce fut le temps de remiser les décors. Cathryn avait passé tant d'heures à les construire... Et c'était déjà fini. Elle eut une bouffée de nostalgie : son œuvre n'aurait existé qu'un bref moment. Mais la persévérance l'avait rendue plus forte. Plus jamais elle ne fuirait les problèmes dans les mensonges.

# CHAPITRE 19

La fin de la pièce de théâtre marqua le début de la préparation aux examens. Cathryn n'avait plus peur de rater sa troisième secondaire. Pourtant, elle sentait encore une boule dans son ventre. Quelque chose restait coincé en elle. Quelque chose que les moments d'exaltation des derniers jours n'avaient pu effacer. Un soir, elle comprit ce que c'était.

Elle était en train de chercher des vêtements pour créer son costume de C.A.T.Y. quand elle tomba sur le sac de choses qu'elle avait mises de côté après sa rupture avec Samuel. Sortant les morceaux un à un, elle se trouva ridicule.

Elle eut soudainement besoin d'exprimer les restes de sa peine, de les incarner dans le réel pour s'en libérer complètement. Elle voulait parler. Être écoutée.

Cathryn prit son téléphone pour appeler Mathilde. Elle était prête à lui confier son histoire avec Samuel. Sans aucun doute, sa meilleure amie pourrait la soutenir, sans la juger.

Avant même que Mathilde ne dise « allô », Cathryn s'exclama :

— Faut que je te raconte de quoi de fou !

Silence.

— Allô ?

Cathryn regarda l'écran de son téléphone. Surprise, elle constata que ce n'était pas la photo de profil de Mathilde qui y apparaissait. C'était celle de sa mère. Comme un reflet d'elle-même qui la fixait. Sans le vouloir, elle avait appelé Patricia.

— Qu'est-ce qui se passe ? demanda celle-ci.

Cathryn eut le cœur serré en entendant la voix de sa mère. Elle éprouva une douceur, une tendresse unique. Elle sentait qu'elle pouvait tout lui raconter. Elle déballa toute son histoire. Vers la fin, elle lui dit:

—Je pensais que j'étais conne parce que je mentais. Mais c'est pas vrai. J'ai réussi. J'ai fait les plus beaux décors de théâtre. Si t'avais vu…

—Je suis sûre que c'était formidable.

—Je vais t'envoyer des photos. Pis je me suis rattrapée en maths.

—Bravo!

—J'étais en train de pocher mon année.

—Oh…

—Et…

Cathryn hésita à continuer.

—J'ai le cœur brisé.

—Pourquoi? demanda Patricia, surprise.

—J'ai menti, avoua Cathryn. À quelqu'un que j'aimais vraiment beaucoup. Je lui ai fait mal.

—Je comprends.

Pour la première fois, Cathryn se sentait proche de sa mère. Celle-ci semblait posséder un superpouvoir d'écoute. Pour une fois, ce n'était pas Cathryn qui venait en aide à quelqu'un, mais quelqu'un qui l'aidait, qui plus est sa mère.

—Il voudra jamais me pardonner, souffla Cathryn en retenant ses larmes.

—Ça arrive, de faire des erreurs. On grandit et on passe à autre chose. Tu es déjà une jeune femme extraordinaire, tu sais…

Cathryn se sentait bien.

—J'aimerais ça te revoir, maman.

Un autre silence. Puis, sa mère dit :

—Pourquoi tu viens pas me rejoindre ?

—Où ça ? En Alberta ?

—Ben oui !

—Quand ?

—Tout de suite !

# REMERCIEMENTS

Merci à l'Équilibre, centre d'entraide du trouble affectif bipolaire de Québec, qui a pris le temps de me rencontrer pour répondre à mes questions.

lequilibre.org

# TABLE DES MATIÈRES